JN082832

学学交流

――岡山県大学人の会70周年記念誌

目次

学学交流—岡山県大学人の会70周年記念誌

21世紀の大学のあり方
―強く、たくましく、しなやかに―

加計 孝太郎
学校法人加計学園　理事長

岡山県大学人の会創立70周年、誠におめでとうございます。岡山県で学校教育に携わる者として、貴会が「古希」を迎えられましたことは、大変嬉しく心からお慶びを申しあげる次第でございます。

さて、この創立70周年にあたり記念誌を発刊される運びとなり、「大学のあり方」について執筆依頼を頂戴しました時、私のような者に声をかけていただき光栄に思いましたが、同時に、おこがましくもあり、大変迷いました。それでも自分自身の大学人としての歩みを顧みて、反省しつつ新しい歩みへとつなげる意味で、執筆を承った次第です。

キーワードはＡＩと国際化

さて、私が、「大学のあり方」「高等教育が担う人材育成」という点で一番気になりますのは、「ＡＩ（人工知能）と人間の関わり」と「国際化が及ぼす影響」の二つであります。

昨今、ＡＩがマスコミに度々取り上げられております。テレビ、新聞、雑誌そしてネットと必ず話題に取り上げられるまでにポピュラーな話題となっており、その応用範囲は留まるところがありません。

チェス、将棋、囲碁の世界では人間を凌駕したのはもちろんのこと、ディープラーニング（深層学習）と呼ばれる、機械学習の手法によってＡＩが加速度的な発展を遂げ、その能力が人間の知能を超えるといわれる２０４５年問題が、すぐそこまで迫って来ております。

近い将来、我々人類は、現在ある職業の多くをＡＩに取って代わられてしまうのでは、という切実な問題が浮上することが予測されます。

これは、「人間、なんのために働くのか」という労働の原点が問われる問題であり、さらにそれは学校教育の場にも当てはまるものであります。

小学校より大学・大学院にまで児童、生徒、学生に対して教師に代わってＡＩが授業を行う。その児童、生徒、学生一人ひとりの性格、学力、学習能力の傾向等々を分析し、最も適した方法で各教科、科目を指導していく社会が現実に可能になりつつあります。

かつて、パーソナルコンピューターが普及を始めた昭和の時代に、現代のネット社会を予想することは大変に困難なことでありました。そのときと同じ事が近い将来にやってくることは、容易に想像できます。

さらに、国際化について申し上げると、現在、中国をはじめとしたアジア諸国の「新興国」が、存在感を急速に拡大させています。世界の経済活動を隔てる国境の壁は低くなり、グローバル化の波が大きく日本にも押し寄せています。同時に、日本は人口減少に転じ、今後、本格的な人口減少社会の到来を迎えることになります。これが、日本経済の成長に対する制約要因となることは間違いのないところであり、このことを背景として、日本国内での外国人雇用は年々拡大・加速しています。外国人労働者が急激に増えていくことで異文化交流が一段と進み、価値観も流動化していくことでしょう。

子どもたちは、そんな時代を生き抜いていかなければなりません。未来に対する期待と不安を考える時、必ず思い出すのが、「原点に還る」ということであります。終戦直後の混沌とした時代、従来の価値観が崩壊した中で、教育に価値観を見出したのが、学園グループ創立者であり、それを現在、私が受け継いでおります。

岡山理科大学は１９６４年に開学しました。西日本で初の理学部単科大学でした。「金ばかりかかって損益の合わないものをなぜつくるのか」という周囲の反対を押し切って、岡山でノートルダム清心女子大学に次ぐ二つ目の私立大学を誕生させました。

1期生は応用数学科71人、化学科72人の計143人。入学式で「入りやすいが出にくいアメリカ式の教育をやる」と訓示した通り、1期生のうち4年で卒業できたのはわずか64人でした。その一方で「やる気がある人間はどこまでも伸ばしてやる」というのが口癖でした。

手前味噌ながら、学園の話をさせていただいたのは、岡山県大学人の会とともに歩んできた加計学園の原点を紹介したかったからです。混迷の時代だからこそ、未来を占う上でも原点を見つめ直すことが肝要だと思っています。その原点は教育に対する情熱以外の何物でもないと思っています。これは他の私学の皆様方も同様ではないでしょうか。

時代を超えた若者への期待

この情熱を形にしたのが建学の理念です。「ひとりひとりの若人が持つ能力を最大限に引き出し　技術者として社会人として　社会に貢献できる人材を養成する」。教員と学生という隔てなく、人間と人間がともに触れ合い、たまにはぶつかり合い、助け合ってともに成長していく場、それが教育だと思います。時代が変わっても、ＡＩが浸透したとしても、それは変わらないのではないでしょうか。若者には強く、たくましく、しなやかに育って欲しいと願っています。それが時代を超えた若者への期待と言えます。

こうした構想を実現するため、理大は「学生の成長に主眼をおく人材育成拠点」を目指して中長期の行動指針「岡山理科大学ビジョン２０２６」を策定しました。詳細な内容は柳澤康信学長が別に紹介しているので、ご参照下さい。このビジョンは、理大に限らず、私どもの学園が設置しております各校においても、それぞれのスクールカラーに合わせた目標としています。

国際化進めて世界平和希求

もう一つの国際化の問題です。加計勉は、戦争体験を基に「世界の各国と仲良くしていかなきゃならない、それが世界平和につながる。政府レベルではなく民間レベルで」と、民間交流の大切さを訴え、１９７９年に米国オハイオ州立ライト大学と教育交流協定を締結して以来、交流研修団を相互に派遣しています。その際、来日した米国・ブラジルなどの研修団は必ず、広島の平和記念資料館、平和記念公園を訪れています。これは今でも変わりません。こうした地道な活動が世界平和につながると信じているからです。

交流協定を結んだ大学・研究機関は今では19カ国74校に上っています。

その一環として、岡山理科大学に世界標準の教育プログラム、IB（国際バカロレア）の教員養成コースを２０１７年、学部レベルでは国内で初めてスタートしました。また、岡山県内で初のIBワールドスクールに認定された理大附属高等学校では、２０２０年４月から日本語のDP（ディプロマ・プログラム）が始まります。これは、「世界で活躍できる人材育成」を主眼としたもので、その人材が世界平和にさまざまな分野で貢献してくれることを祈っております。

また、理大の愛媛・今治キャンパスに国内で52年ぶりに開設された獣医学部では、国際的に通用する獣医師、獣医関連専門家の養成を目指しています。

創立者の意志を受け継ぎ、さらなる高みへ

ここで少々長くなりますが、平成23年に学園創立50周年を迎えた際の記念誌に掲載しました挨拶文の一節を紹介させていただきます。

〝論語に「子曰、吾十有五而志乎學、三十而立、四十而不惑、五十而知天命、六十而耳順、七十而從心所欲、不踰矩（子曰わく、吾十有五にして学に志し、三十にして立ち、四

十にして惑わず、五十にして天命を知り、六十にして耳順い、七十にして心の欲する所に従えども、矩を踰えず)」

(為政第二)

という有名な一節がございます。

『十五歳で学問を志し、三十歳にして学問で身を立てるようになり、四十歳で迷いがなくなり、五十歳で自らの天命を知った――』という意味で、五十歳のことを『天命を知る』歳と呼ぶのは、これが出典と聞き及んでおります。

私どもの学園もその『天命を知る』歳を迎えました。人間の一生のみならず、学園としても天命を知り、新しいスタートを切ることが大切であると思っております。

その天命とは、建学の理念を再確認し、それを受け継ぎながら、創立者である父の遺志を継承しつつ、時代と社会に貢献できる人材を養成し、さらに「研究成果の社会への還元」「地元地域への貢献」をも視野に入れた教育事業の展開であります。〟

(学園創立50周年記念誌より一部抜粋)

この上述の挨拶文こそが、私が創立者の意志を受け継ぎ、さらなる歩みを続けていくための指針であり、拠り所であると考えております。

時代を先取りして学部・学科再編

岡山県大学人の会が発足したのは1950年です。その1999年の会のしおりに加計勉は「二十一世紀においても存在価値を失うことなく存立していくためには何が出来るかを、また何をしなければならないかを考え、それに基づいて大学自身が変容していかなければならない」と書いています。時代を先取りした学部・学科再編の必要性を指摘しているのですが、肝に命じなければ、と気持ちを引き締めています。

100周年に向けて一層の発展を

皆様方とともにこれからも「教育県」として岡山県を発展させていきたいと考えています。国公立大学と私立大学がお互いに切磋琢磨しながら、岡山県大学人の会の創立100周年に向けて頑張っていきたいと思います。

「大学のあり方」を考える時、それまでの道のり、伝統を無視して未来への展望はないと思います。各大学にはそれぞれに刻んできた歴史があり、それぞれに意味があります。前述致しましたが、これまで学園が育んできた伝統のうえに立って、強く、たくましく、しなやかな人材育成ができる学園グループをつくりあげていきたいと考えています。そのために、原点を見つめ直すべく、本稿をまとめてみました。これまで蓄積されている資料や書籍などに改めて目を通してみると、触発される点が数多くありました。本誌の編集に当たられた皆様にこの場をお借りして、御礼を申し上げ、岡山県大学人の会創立70周年へのお祝いの言葉とさせていただきます。

これからの大学のあり方

加計　美也子
順正学園　理事長

はじめに

平成17年の中央教育審議会答申「我が国の高等教育の将来像」では、21世紀は新しい知識・情報・技術が政治・経済・文化をはじめ社会のあらゆる領域での活動の基盤として飛躍的に重要度を増す「知識基盤社会」の時代であると紹介されています。そうした高度化・多様化している社会における人材育成において、大学が担うべき役割、あるいは大学に期待される役割は今後益々高まることが予想されます。

「知識基盤社会」において、大学が新たな知を創造し、社会を発展させていく推進力となるためにも、教育・研究機能を質・量ともに充実させていく必要性に迫られています。その具体的な施策として、国際化に対応した教育・研究環境の整備、イノベーションを担う人材育成に対応した教育・研究環境の構築、リカレント教育の機能強化といったアプローチが考えられます。

1. 国際化に対応した教育・研究環境の整備

国際化が急速に進展し、国境を越えて人・物資・財・サービス・情報が激しく行き交う社会では、気候変動枠組条約の取り組みのように単独の国家では解決できないような国家間の協調を前提とした問題が顕著化しており、国際協調や相互理解が益々求められるようになっています。

このような国際化時代を生きる世代には、世界中の様々な人々と共存共栄し、国際社会の一員としての行動が求められるとともに、国家間の関係において直面しうる「囚人のジレンマ」のような状況を解決し、国際的な協調を達成するためのリーダーシップや創造力が必要となります。それには、語学をはじめとした国際化時代に相応しい教養と専門知識が必要となり、海外の大学との交換留学制度の充実や単位互換を進めるなど、学生の海外留学を促進する取り組みを行う必要があります。

こうした学生の海外留学促進とともに、外国語による授業の実施、秋季入学制度の促進、留学生に配慮した教育プログラムの開発など、留学生の受入体制を整備して、日本社会に対する理解を深める機会を設けることや、日本人学生と留学生に対して交流の機会を数多く設けることで、共同活動を通じた異文化理解促進のための教育を充実させることも大切だと思っています。学生時代に異文化に触れ、海外の学生と交流し、議論を交わすことによって、将来、異なるバックグランドを有する海外の人々と仕事上で議論・交渉をする機会に直面したとき、学生時代の経験が役立つのではないかと思います。

2. イノベーションを担う人材育成に対応した教育・研究環境の構築

少子高齢化の急速な進展による労働人口の減少を迎えている日本において、国際競争力を維持していくためには、最先端技術の積極的な活用による生産性の向上が求められています。ＡＩ（人工知能）の発達などによって、現在の労働集約的な業務の一部がロボットや人工知能に置き換えられていく可能性が広がるにつれて、人工知能を利用した革新的な技術を創造・利用・推進する担い手、あるいは、イノベーションによって新たな雇用を生み出していく人材の育成が必要となります。

それには、人工知能を中心とした先端技術と現実の経営を俯瞰できる人材を育成できるよう、文理融合型教育カリキュラムを開発するとともに、産学官の連携を推進して、社会のニーズに沿った大学教育を行うことが必要となります。イノベーションの担い手には、他人からの指示で行動するのではなく、課題発見・解決といった一連のプロセスを能動的に行うことができる能力が求められることからも、これまでの受動的な講義とは異なる能動的な活動を数多く取り入れた学習法など、教育の質的転換を図ることが必要となります。

3. リカレント教育の機能強化

経済協力開発機構（ＯＥＣＤ）の統計では、日本における25歳以上の学士課程への入学者の割合は、他のＯＥＣＤ加盟諸国と比べて著しく低い状況となっています。人工知能の発達に代表されるように、技術革新が急速に進展している現代社会では新たな技術や知識が日進月歩で生み出されています。

ボストン・コンサルティング・グループの内田和成元日本代表が言及されているように、パーソナル・コンピューターが普及していなかった一昔前には相関係数を導き出すために方眼紙に鉛筆で点を打って散布図を作成していたような作業も、現在ではパーソナル・コンピューター、そして統計解析ソフトウエアRなどの様々なソフトウエアの普及によって、データ分析が身近なものとなり、複雑な統計解析を要する分析ができるようになるなど、私たちを取り巻く環境が変化しています。

そうした環境の変化に対応して、日々進化している知識や技術を習得するためにも、大学は一度卒業すれば終わりではなく、社会人になってからも継続して学習する機会を設けることが重要であり、大学はある特定の世代が入学する場所という概念を変えていく必要があります。

それには、職業上必要とされる高度な知識・技術の習得を目的とした教育プログラムの開発、あるいはデータサイエンス分野のように技術の進歩などによって一昔前の世代では学ぶことが難しかった科目群などを配置することが、これからの大学には求められています。

新見公立大学の歩みと今後の展望

公文 裕巳
新見公立大学　学長

1．はじめに

新見公立大学の歴史は、１９８０年（昭和55年）、遡ること39年前に全国初の広域事務組合立として設立された新見女子短期大学に始まります。新見市が現在直面している少子化、高齢化と人口減少にかかわる課題を予測するとともに、「地方創生の基本は教育にある」という赤木孜一・旧新見市第3代市長（故人）の信念に基づいて公立短期大学は創設されました。公立大学への国からの財政支援は文部科学省（当時は文部省）からではなく、総務省（当時は自治省）からの地方交付税で間接的に実施されており、公立大学は運営費交付金を自治体から受け取る仕組みになっています。短期大学の設立にあたり、設置学科の選択、教員の確保などの課題はもとより、文部省と自治省との交渉、特に、市町村の大学設置は原則認めないとする自治省との交渉は困難を極めたと言われています。最終的には旧新見市と周辺四町（現在の新見市）との広域事務組合立という全国初の方式が考案されて認可されましたが、後年「筆舌に盡せない苦労の連続であった」と赤木市長は述懐されています。

一方、平成期には、公立大学数は39大学から93大学（2019年4月）に増加し、その学生数も約6万人から15万人を越えるまでに増加しています。学生数1000人以下の小規模大学が約40％を占め、その半数は単科大学であり多様性に富んでいます。平成4年（1992年）度に施行された「看護師等の人材確保の促進に関する法律」が看護系大学・学部の設置を自治体に促したこともあり、49の公立大学（11単科大学）に看護系の課程が設置されています。この平成期についてみると、団塊ジュニア世代の参入により、18歳人口は平成4年（1992年）にピークの約205万人となり、それ以降は減少を続け、現在では6割以下の約118万人（2018年）となっています。しかし、大学進学率が1992年の26・4％から52・6％（2018年）まで右肩上がりに上昇したため、大学進学者数は約54万人から約63万人にまで増加しました。特に、近年は女性の進学率の上昇幅が大きく、49・1％（2017年）にまで達しています。この大学進学者の増加に対応して、地方での高等教育の場を創造し、縮小する若者世代が大学進学を機会に都会へさらに流出することを抑制するために、一部の地方自治体は政策的に大学設置策を進めました。特に、1991年の「大学設置基準の大綱化（設置に関する規制緩和とともに自立性と自己点検評価の努力義務）」が、公立大学急増の起点となりました。その後の約30年間の公立大学のあゆみは、国の高等教育政策の変化に基づいて、①公立大学新規開設期（1991年～）、②法人化など政府誘導の改革期（2004年～）、③大学改革の変革期（2014年～）の3期に分けられるのが一般的です。そこで、本学開学以来の歩みを昭和期（1980年～）と平成期の3期の計4期に区分して時代背景とともに概括的に述べます。

2. 新見公立大学の歩みと時代背景

① 昭和期（1980年～）

新見女子短期大学は、「誠実、夢、人間愛」を建学の精神に、看護学科と幼児教育学科（定員各50人）の2学科を選択して1980年に開学しました。開学に至るまでの困難な道のりについては先に述べましたが、その後は着実に発展の道を辿りました。その要因は、①主に新見地域外からの学生を募集せざるを得ない地理的要因を理解した志の高い教授陣による血の通う少人数教育と質の高い教育カリキュラムの構築とその改革を実践してきたこと、ならびに②1970年代に進学率が上昇した女子学生の志向が、家政系学科から卒業後の就業に直接役立つ専門的技術を修得するための学科（看護・実務教育系）に移る変革期に合致し、しかも、公立であったことが挙げられます。結果として、西日本を中心に全国から学生が集まる女子短期大学として発展していきました。なお、大学に附属する実習施設がないことなど不利な要素があったにもかかわらず、看護学科を設置し、岡山大学ならびに川崎学園からの支援を基盤に多くの関連施設との連携を構築しつつ、医療過疎地での運営を展開してきたことが、今日の大学の発展の礎になったと判断されます。

②公立大学新規開設期（1991年〜）

1991年の「大学設置基準の大綱化」により公立大学の新設が年次的に増加することとなり、公立短期大学は1996年の63校をピークに以後は減少に転じることになります。この時期、新見女子短期大学は、第3番目の学科として1996年に地域福祉学科（定員50人）を開設し、介護福祉士の養成を開始しました。新しい学科の領域選定に関しては種々の議論と紆余曲折があったようですが、当時の社会情勢として、1997年に介護保険法が国会で制定され、2000年4月から「介護保険制度」が施行されており、介護福祉士養成はまさに時代の要請であったと言えます。また、看護、保育、介護の領域への男性の参入が社会的要請となり、１９９９年に校名を新見公立短期大学へ変更して、男女共学化（地域福祉学科の共学化は２０００年より）しました。なお、大学設置基準の大綱化にともなう教育課程の編成の自律性との引き換えに進む、第三者評価を義務付ける「認証評価制度（２００４年導入）」を前向きに受けとめて、自己点検・評価への対応を学内的に着実に進めていきました。

③法人化など政府誘導の改革期（２００４年〜）

２００４年認証評価制度の導入とともに、大学の法人化が開始されました。国立大学は国立大学法人法により、全ての国立大学が２００４年に法人化しましたが、公立大学は地方独立行政法人法により２００４年以降、順次法人化が進められています。また、全ての国公私立大学に対する政府誘導の大学機能強化政策が進められ、大学の多様化と教育の実質化を誘導する答申が次々と出されるとともに、それに対応する形でいわゆる「ＧＰ（Good Practice）」と呼ばれる競争的資金政策が実施されました。

この時期、新見公立短期大学は、２００４年に地域看護学専攻科、学士（看護学）の学位を取得できる認定専攻科として修業年限1年の保健師養成課程（定員15名）を開設しました。２００５年に広域事務組合を形成していた1市4町が合併し、実質的に新見市立の短期大学となりました。また、２００６年に公立短期大学の先陣を切って大学評価・学位授与機構からの認証評価を受け、２００８年に公立大学の過半数（35／75）が法人化した年に法人化を実現しました。一方、ＧＰに関しては、開学以来実践してきた質の高い教育カリキュラムと不断の教育改革の取り組みが実を結び、２００４年～２００８年に現代ＧＰ（現代的教育ニーズ）２件、特色ＧＰ（特色ある大学教育）３件、教育ＧＰ（質の高い大学教育）２件が採択されました。ＧＰ７件の採択は、小規模の地方公立短期大学としては異例の快挙であったと言えます。教育レベルの高さと質保証の実績が評価されるとともに、文科省からの財政支援により、目指す教育改革への取り組みの更なる実質化が図られました。次いで、開学30周年となる２０１０年に新見公立大学を開学し、看護学部看護学科（定員60人）を設置しました。

④大学改革の変革期（２０１４年～）

２０１４年、近年の第４次産業革命、Society 5.0 の到来による産業構造、社会構造の革命的変化、グローバル化の進展と国際競争の激化、ならびに人生１００年時代と加速する18歳人口の減少社会における、知識基盤社会の拠点としての新たな大学改革の時代が幕開けしました。同年、中央教育審議会の「大学のガバナンス改革」（審議のまとめ）を踏まえて、「学校教育法及び国立大学法人法の一部を改正する法律」等が成立し、学長のリーダーシップで機動的な国立大学改革を進めていく体制の構築が明示されました。以後、国立大学の機能分化としての「3つの重点支援の枠組み」の創設（2016年）、私立大学等改革総合支援事業（2013年～）の充実、地（知）の拠点大学による地方創生推進事業（COCからCOC+へ）（2015年：事業の多くは国立大学の重点支援Iの地方貢献型が中心となって推進）、ならびに「2040年に向けた高等教育のグランドデザイン」（中教審答申、2018年：大学の連携、統合を進める3つの方策についても提言）など国の方針が示され、国公私の全ての大学がそれぞれの役割・機能を明確化して発展の方向性を模索する時代となりました。

この時期、新見公立大学は、2014年に大学院看護学研究科を設置、2015年に助産学専攻科を開設、2017年看護学部を健康科学部に名称変更しました。次いで、2019年に「人と地域を創る新見公立大学 N・i・U」として、新・健康科学部を設立し、4年制の1学部3学科体制（健康保育学科、地域福祉学科、看護学科）に移行し、短期大学（幼児教育学科、地域福祉学科）の募集を停止しました。

3. 新見公立大学 N・i・U：新・健康科学部の目標と各学科の特色

日本全国で人口約3万人の街にある保健福祉系の公立大学は、名寄市立大学（北海道）

と新見公立大学の2大学のみです。現状、日本の中山間地域の人口減少は避けられず、新見市の人口も昨年3万人を割り込んでしまいました。人口減少が進展していくなかで、「健やかな子供の発達、心の豊かさの向上、高齢者の健康寿命の延伸」を実現することが、街の持続性における目標となる課題と考えられます。新見公立大学は、日本の典型的中山間地域にある唯一の保健福祉系公立大学の使命として、課題先進地域にあることを地の利として、本課題に正面から取り組み、「地域ぐるみで支えあう保育」、「地域共生社会の基盤を創る福祉」、「心と体の健康を支える看護」の理念のもと、中山間地域における地域共生社会の構築に求められる各学科の役割と多職種連携を実践的に研究、教育することとしました。そこで、社会的弱者の支援はもとより、「病気や障害をもっていても、社会に適応してその人らしく生活している状態が『健康』であり、それを支える人材の育成と仕組みを構築すること」を健康科学の目標に、健康と医療や地域学などを共通科目に組み込んだ各学科独自のカリキュラムを構築しました。

①健康保育学科

地域共生社会の未来を拓くのは子どもたちであり、健康保育学科では、全ての子どもの健やかな発達と笑顔のために、理想の保育専門職の育成を目指しています。最大の特色は、保育士資格、幼稚園教諭一種、特別支援学校教諭一種の取得課程カリキュラムに加えて、本学独自の特別プログラムである保育医療講座、音楽療育関連講座を学び、新見公立大学独自の称号である「こども発達支援士」を取得することです。子どもの発達の多様性を科学的、実践的に理解して、発達障害など気になる子ども達に個別の対応ができること、ならびに子ども特有の病気に対する幅広い知識を身に付けて病児保育を実践できることを目指しています。また、人口3万人の街だからできることとして、新見市内の全ての保育施設（7つの子ども園と6つの保育園・幼稚園）を大学の附属として連携することにしました。教育支援センター（大学・保育施設・行政連携のために2018年新設）が中心となり、幼児からのインクルーシブ保育・教育を目指す共通の指針のもとに学生実習とインターンシップを実施して実践力を養う計画です。また、2008年以来、大学・地域・行政の協働という理念の下、地域での子育てに関与する全てのメンバーが参加して発展してきた「にいみ子育てカレッジ」（大学内にある親子交流広場「にこたん」が活動の拠点）が、「地域ぐるみで支えあう保育」としての「共育て、共育ち」の学びの場となります。

②地域福祉学科

地域福祉学科では、中山間地域における地域共生社会の基盤を創る「21世紀型スーパー地域福祉人材」の育成を目指しています。短期大学で実践してきた、地域に学び地域を支え、地域の生活文化を創造する質の高い介護福祉士養成の伝統を基盤に、人間の尊厳を護り、人と人、人と地域を繋いで人に優しい福祉の街を創る社会福祉士養成課程を組み入れて、複数の資格と創造的な知識・技能を生かし、地方自治体をはじめ多様な職場で活躍する福祉人材を育成します。そのための学び方として、介護福祉士と社会福祉士のダブルライセンスの取得を基本形に、本学独自の称号である「地域介護専門士」、または「共生社会推進士」を取得する副専攻、ならびに社会福祉士として幅広く活躍するために、法律関連の分野を学んで行政書士や社会保険労務士資格を取得するコースなど、多様な選択肢を用意して、地域共生社会を創る多彩な人材を育成します。なお、近年多発する日本の自然災害の脅威に対応するため、防災士の資格は全員が取得することになっています。

③看護学科

看護学科は2010年より4年制となっており、少人数制の基礎ゼミナール、卒業研究や在宅高齢者を対象とする学生企画の生活支援看護実習などを組み込んだ特色のある教育を実践しています。2019年度の新・健康科学部第1期生より、定員を60人から80人に増員するとともに、文科省高等教育局医学教育課より新たに公表され、本年度より開始された看護学教育モデル・コア・カリキュラムを初年度より導入しました。また、地域共生社会における全ての世代の心と体の健康を支える看護専門職養成の幅を拡げる目的で、3年次より、基盤となる看護師教育課程（全員）、保健師教育課程（定員20人）に加えて、新たに養護教諭養成課程（定員10人）と訪問看護・地域看護コース（定員5人）を設置しました。特に、訪問看護・地域看護コースを看護学科の正規科目として実施するのは全国初の試みです。中山間地域における地域共生社会の基盤となる地域包括ケアシステム構築において、看護職は多職種連携の要として、医療ニーズの高い在宅療養者やその家族を支える必要があります。本コースの設置により、地域医療・地域看護に関心をもつ学生の育成とともに、新卒訪問看護師を地域で育成する独自システムについても新見公立大学として構築していく計画です。

4. 新見公立大学の課題と展望

2020年は、新見女子短期大学の開学から40年の節目の年となります。新・健康科学部の開設は、当初2020年を予定していましたが、大学を取り巻く環境の加速する変化のスピードに対応するために1年前倒しして、2019年としました。改めて、本学39年のあゆみを振り返るなかで、小規模公立短期大学の発展と飛躍の鍵となったのは、①質の高い教育の実践とともに、②設置者の大学に対する熱い想いと決断力、そして③

学長のリーダーシップであったと言えます。石垣正夫前市長（故人）は、１９９４年に旧新見市長となられ、１市４町が合併した２００５年以降も新見市長を務められました。２０１６年11月に不慮の事故で亡くなられるまでの足掛け23年に亘り、大学への物心両面の支援、特に、学修環境の整備に尽力をいただきました。なお、前倒しした新・健康科学部の開設も石垣市長の決断によるものでした。また、同時期の14年間（２００２—２０１５年）に学長を務められた難波正義前学長のリーダーシップにより、ＧＰ採択７件の偉業や、迅速な法人化と看護学科の４年制化が達成されました。

一方、国公私立大学がそれぞれの役割・機能をより明確化して、大学の連携、統合を含めた新しい発展の方向性を模索するこれからの時代においては、設置者の想いや学長のリーダーシップはもとより、大学のガバナンスやマネージメント体制の組織的再構築、ならびに大学と自治体のより明確な目的意識を共有する連携関係と地域連携プラットフォームの構築が重要となります。

①大学のガバナンスに関連して

大学の法人化は、民間的手法を含む法人の自己統治（ガバナンス）への転換と考えられますが、政府（ガバメント）の財政的な手段による統制の度合いが、少なくとも国立大学ではむしろ高まっているように見えます。一方、国立大学・私立大学に対しては、国の施策と財政支援策とがセットになって直接示されますが、公立大学の財政支援は設置自治体の判断に委ねられることになります。２００４年度の地方独立行政法人法の施行以来、２０１９年度までに公立大学を設置する法人は75法人で、公立大学法人が設置する大学は93大学中82大学となっています。公立大学法人は、複数の大学等を設置することが可能であり、理事長が学長になることを原則としつつも、設置団体の判断で、学長を理事長とは別に任命することが可能であり、35大学はその体制となっています。

今後、新見公立大学のガバナンス改革をどのように進めるかは、大学の持続可能な未来の構築と発展に極めて重要な課題であります。人口約3万人の自治体が公立大学行政に精通し、改めて「自治体中心のガバナンス」を実施するのは現実的とはいえませんが、自治体の直面する地域の政策課題を大学と共有して地域の未来像を構築するために、「法人中心のガバナンス体制とマネージメント支援策」をより強力に後押しすることで、実質的な「自治体中心のガバナンス」が実現すると思われます。昨年、池田一二三新見市長は、企画政策課内に大学連携推進室を新設するとともに、「小規模多機能自治による基盤構築」と「大学を活かしたまちづくり」を2本柱とする新見市版地域共生社会への取り組みを公表されました。この政策課題を実現するためにも自治体政策に伴走する法人中心のガバナンス体制の再構築とマネージメント人材の投入・育成が喫緊の課題と考えられます。また、法人プロパー職員の採用とそのキャリア支援策を自治体と大学双方で検討する必要があります。

②地域連携プラットフォームに関連して

新たな大学の再編を意図する地域における高等教育の再構築を目指す「地域連携プラットフォームの構築（仮称）」が国のレベルで幅広く議論されています。一方、新見公立大学新・健康科学部のミッションは、「中山間地域における地域共生社会の構築に求められる3学科の役割と多職種連携を実践的に研究、教育すること」であります。人の生活の基盤を支える保育、看護、介護、福祉の高度専門職人材の育成を目指す健康科学部の3学科では、「研究」、「教育」とならぶ、第3の大学の役割である「社会貢献（地域貢献）」は、地域に学び地域を支える実践的研究・教育そのものとして捉えることが出来ます。大学の教育研究の成果を社会に還元するだけでなく、地域との関わりの中で課題を探索し教育研究の内容を学生とともに深めていくアプローチの延長に、出口志向の組織的産官学民連携としての「独自の地域連携プラットフォーム」を構築することが望まれます。新・健康科学部の設立にともなう新棟（2020年7月竣工予定）内で、本格的にスタートする地域共生推進センターは、その司令塔として機能し、広域連携を視野にいれた展開を模索していくことになります。先駆け事例として、2019年10月17日に、設置自治体と大学の規模、ならびに学科の構成が類似する名寄市立大学との学術交流協定を締結しました。
新見市の未来像としての地域共生社会（インクルーシブ教育とソーシャル・インクルージョン）は、特別支援教育（中村満紀男客員教授、筑波大学名誉教授）、里山での街づくり型福祉（熊原保客員准教授、優輝福祉会理事長）や里山資本主義（藻谷浩介客員教授、日本総合研究所主席研究員）を学ぶ学生とともに、大学、地域、行政との協働で実現を目指していくことになります。改めて、中山間地域における人間関係の豊かさとしての社会関係資本（ソーシャル・キャピタル）が機能する「独自の地域連携プラットフォーム」をどのように構築していくのかが重要課題となります。

以上、新見女子短期大学の開学より40年となる２０２０年に向かう本学の歴史を時代背景とともに振り返り、中山間地域の小規模自治体が設置した公立大学の発展の要因と今後の課題について考察しました。引き続き、関係各位からのご支援をお願い申し上げます。

大学は学問の府

辻 英明
岡山県立大学　名誉教授

今日、私たちは、知識、情報、技術が政治、経済、社会の変革を推進する社会、いわゆる知識基盤社会に生存している。また、我が国では、近年、第4次産業革命およびグローバル化が大きく進展するとともに、少子・高齢化も進行し、大きな社会問題となっている。とりわけ、18歳人口が大きく減少しており、大学を取り巻く環境はますます厳しくなっている。こうした状況の中で、文部科学省は1991年大学設置基準を大綱化し、大学の主体性という名の下で、大学の設置、大学運営を委ねるようになった。その結果、18歳人口の減少の流れに逆行して私立大学および公立大学数は激増し、国立大学を合わせると、2015年には779大学と増え、大学間の競争は益々激しくなっている。

バブル崩壊後、経済界は、大学卒業生に対して、「待ちの姿勢、コミュニケーション力がない、思考力・応用力がない」と強く非難するようになった。これは、上記の大綱化後、大学は大きく変質し、カリキュラムを自由に変えられるようになり、教養教育が軽視され、直ぐ実践できる専門教育に偏った教育が行われるようになった結果に原因があるものと考えられている。

こうした大学教育の課題を解決するために、文部科学省は2008年に中教審の答申を受けて、大学教育の目標を「主体性、協調性、創造性」の3つの能力のある人材育成を示し、これまでの大学教育の方針を大きく変更した。従来、大学は、教育、研究、社会貢献の3つの使命を有しているといわれている。しかし、大学にとって一番核心的に重要なことは、中国の古典「中庸」にある「博く之を学んで、審らかに之を問い、慎んで之を思い、明らかに之を弁じ、篤く之を行う」という学問を行うことである。大学は、この学問を通して、新しい知の創造を行い、これに基づいて、人材を育成するとともに、この知を社会に還元することを使命としている。特に、学問では実践の役割は欠くことができない要素であり、学問するということは、PDCAサイクルを回すことである。実践して自ら知り得た知識を確認する過程のない学問は、実体の伴わない机上の空論であるといえよう。今日の大学に関する課題は、今一度、「大学は学問する府」であるという原点に戻ることにより解決されるものと思われる。

「岡山県大学人の会」は、大学の自治を守り、発展させるために1949年に設立され、今年で70周年を迎えている。「大学の自治」とは、設立された当時とは異なり、今日では、社会から隔離されたものではなく大学は社会の一構成員として存在しつつ、大学で行われている学問は社会から制約を受けることなく自由であることを根幹としていることを意味しているものと考える。上述した今日の社会状況ならびに大学の事情を考慮すると、「岡山県大学人の会の精神」は今こそ大学改革の道標になるものであり、この精神に基づいて、大学における教育研究システムを構築すべきものと思われる。

以下に、岡山県立大学がこのような社会的背景の下で、社会に応えるため取り組んでいる大学改革を一例として紹介する。

岡山県立大学は、現在社会が求めている、「主体性、協調性、創造性」の3つの能力のある人材育成するために、2013年から始まった第2期中期計画において、教養教育の充実、グローバル教育の推進、戦略的な地域貢献の取り組みの3つの基本方針を定めて大学改革に取り組んできた。即ち、組織の抜本的な改革とともに、教養教育システムの全面的な見直し、海外協定校の拡大と学生の海外研修の奨励、学生が参加した各自治体との連携を深める取り組みを推進した。さらに、2015年に、文部科学省の「知(地)の拠点大学による地方創生推進（COC+）事業」に、本学を代表校とする「地域で学び、地域で未来を拓く生き活きおかやま人材育成事業」が採択された。この事業は、本学を含め県内の9大学がチームを組み、岡山県、総社市など9自治体、県内経済団体、企業、NPOなど、オール岡山体制で取り組む事業で、地域志向の人材を育成する教育改革、産業の振興と雇用促進を目指す産学連携、安全・安心な地域づくりを支援する域学連携の3つの活動から成り立ち、各自治体に設置した活動拠点である地域創生コモンズをプラットフォームとして学生、教員、自治体、企業、地域住民の人たちが協働して取り組んでいる。

COC+事業は教育改革、産学連携及び地域連携活動の3つの活動から成り立っているが、大学から俯瞰すると、教育改革が極めて重要な取り組みとなる。岡山県立大学では、当該大学の抜本的な教育改革として上記コモンズにおける体験学修を主体とする副専攻「岡山創生学」を設置した。この副専攻を学習することにより、予め学内で十分な教養教育及び専門教育を受けてしっかりと学問に取り組んだ上で、学生は、上記コモンズにおいて、得られた「知」を地域における多くの人々との協働作業を通して活用・実践して「知」の有効性などを確認し、さらにその過程で学内で得た知識以外の多くのことを学び、多様性、協調性、課題発見・解決力を身に付けるとともに、豊かな人間性を陶冶することが期待されている。これまで、当該大学では学内において教養教育及び専門教育を行い、特に卒業研究などを通して学生が主体的に取り組むカリキュラムを実施してきているが、その実体は幅広い教養修得、課題発見・解決力の育成ならびに主体性の涵養には十分であるとはいえず、特に協調性の育成は従来のやり方では不可能である。しかしながら、当該ＣＯＣ+事業では、学生が地域創生コモンズをプラットフォームとして、そこで、地域住民、企業、自治体などの人たちと協働作業を行うことにより、学生自身の創造性のみならず、主体性、協調性、更には高い人間性を涵養することができる。このような理由から、岡山県立大学では、現在ＣＯＣ+事業を当該大学の教育に関する最重点課題として推進しているところである。

このように、岡山県立大学では、学内で実施している教養教育および専門教育に加えて、ＣＯＣ+事業に取り組み、地域連携教育と呼ぶべき新教育システムを当大学の教育システムに導入し、この３本柱からなる教育システムにより、現在大学教育に求められている主体性、協調性、創造性のある人材の育成を目指している。今後、当該事業に参加している参加大学が、こうした地域連携教育をそれぞれの大学教育に取り入れ、その充実化を図って各大学の教育が大きく発展することが期待される。

岡山県の大学の将来と連携

西井 泰彦
就実学園（就実大学） 理事長

はじめに

「岡山県大学人の会」の設立70周年を記念して、各大学の学長や理事長が自大学のあり方や普段から実践している取組みなどについて自由に所感を本稿で述べることになっています。そこで、自大学の特色や課題をアピールすることは別の機会でも可能ですので、私は、岡山の大学にとって共通的なこれからの課題についての考えを述べさせていただきます。

1. 中教審答申と地域動向

文部科学省の中央教育審議会では、２０１８（平成30）年の11月に「２０４０年に向けた高等教育のグランドデザイン」の答申をとりまとめました。ここでは、全国的な統計だけでなく地域ごとの進学推計を初めて行い、「18才人口の減少を踏まえた高等教育機関の規模や地域配置」という参考資料が作成されています。

岡山県においては、現在、国立１校、公立２校、私立14校の大学が設置されています。２０１６年時点の岡山県の18才人口は１万９１１５人です。大学全体の入学定員９１４９人に対して入学者は９０４４人で、定員充足率が98・９％となっています。大学進学率は46・２％で、全国順位は22番目です。県外からの流入は５２３１人、県内からの流失が５０１０人で、僅かに流入が超過しています。大学卒業後の県内就職率は43・２％ですが、国立が38％、公立が48％、私立が52％で、地域社会への人材供給の面では私立大学と公立大学が国立大学よりも大きく寄与しています。

岡山県の大学のこれらの状況は今後どうなるのでしょうか。中教審の資料では、２０１５年頃に生まれた子どもが大学に進学する２０３３（令和15）年の岡山県の大学進学者の推計値は７５９８人です。大学入学者は７５１２人で、現在の定員数を固定すれば定員充足率は82・１％となります。つまり、入学者数は今よりも１５３２人ほど減少し、定員充足率は8割程度に下がります。大学進学率や高校生の大学進学の流入流失の推移には様々な要因が影響しますので、正確な予測は困難です。大学ごとの入学定員の充足率のバラつきも大きくなるでしょう。ともあれ、岡山の地においても厳しい事態が今後到来すると覚悟することが大切です。

2. 大学間の地域連携の必要性

そこで幾つかの課題が提起されます。大学の過剰になる入学定員について、個別大学ごと又は私立相互もしくは国公私立全体でどう調整していくべきでしょうか。各大学の時代に合わない学部学科の整理・改組や大学ごとに重複する学部学科の縮小・すみ分けも課題です。今回の中教審答申では地域連携プラットフォーム（仮称）による地域ごとのグランドデザインの策定及び国公私立の枠組みを超えた連携の仕組みが示されていま す。「自ら開設」するという制度的な前提によって一つの大学ごとに自前で完結していた大学の教員組織や施設設備などの人的・物的なリソースを共用する課題が出されていま す。大学の機能の分担及び教育研究や事務の連携をするための大学等連携推進法人（仮称）の構想も出され、私立大学の学部譲渡の方策も新たに提起されています。これには専任教員の最低人数等を定めている大学設置基準の緩和が必要です。岡山県の大学人は自大学の未来を構想するに際してこれらの課題にも真剣に向き合う必要が生じてくるでしょう。

3．経営困難と建学の理念の存続

大学を取り巻く環境が大きく変化している中で、各私立大学はそれぞれの「建学の精神」に基づいて自主的で特色のある教育研究体制と独自の経営方針を堅持してきました。宗教的な背景を持つ大学もあります。これまで独自に確立されてきた大学制度や大学風土を急に変更することは簡単ではありません。縮小・整理などの痛みを伴う改革を内部的に説得することは特に困難です。ましてや、設置形態を異にする国公立大学との連携、建学の精神を異にし、かつ競合している他の私立大学との連携・統合の課題は至難とも言えます。敵の軍門に下るくらいなら自ら死を選ぶ経営者も出てくるでしょう。悩んだ末に経営を放棄する恐れがあり、適切でないスポンサーに見境なく経営譲渡するケースも生じかねません。このような場合には、円滑な私的整理のためのＥｘｉｔプラン（退出方策）の準備ができません。私立大学は突然死を迎え、在学生は路頭に迷う可能性が大きくあります。民事再生による債務整理が発生する場合もあります。

利害が相反する大学間の連携・統合を円満に実現させるためには、当事者の協議だけでなく、公正な第三者機関の仲介や国家の強制的な指導等の措置が望まれます。建学の精神の再構築も必要となるでしょう。これらの事態が岡山で生じることはないのでしょうか。地域における高等教育機関の構造改革を適切に実施することは今後の重要な課題となると考えられます。

4．定員管理の厳格化と今後の定員充足

各私立大学はこれまで独自の経営方針に基づいて、学部学科を設置し、定員を増加させ、定員を超過させるなどの方策によって長期的に発展してきました。しかし、学齢人口が減少する中で大学数や入学定員数が増加したため、大学間の競争環境は益々激化することになりました。２０１８年を境として全国的には18才人口が１２０万人を永続的に割り込んでいます。この2、3年間は、定員管理の厳格化という高等教育政策によって、都市部の大規模大学の定員超過が急激に抑制されました。この結果、大学志願者数（実数でなく重複数）が１９９2年度のピーク時に並ぶほど急増し、大都市の郊外や地方の中小規模の大学の定員割れの割合が一時的に低下しています。しかし、本年度はこの定員管理の段階的な厳格化の政策も一段落し、２０２０年度以降は入学定員の充足状況の二極化が再び進行すると見られます。

5．私立大学の収支悪化と財政困難

国公立大学の財政状況も決して安泰ではありませんが、全国の私立大学においては学生数が長期に亘って減少し、授業料等の学生納付金収入が伸び悩んでいます。経常費補助金は頭打ちとなり、寄付金等の他の収入の比重も余り大きくありません。一方で、教職員の人件費は固定的であり、経費などの支出は継続的に増加しています。経常収支が必然的に悪化します。事業活動収入から事業活動支出を除いた事業活動収支差額のプラス幅はこの十数年間で平均20パーセントから数パーセント程度に下降しています。これは総収入が毎年1パーセントずつ削減されたことと同じです。大学の教育研究の充実と施設設備の維持更新には多額の資金が必要です。多くの私立大学では十分な金融資産の蓄積ができず、設備投資や借入返済の財源の余裕が低下しています。財政的な基盤が充実されなければ、大学改革も絵に描いた餅となってきます。

6．私学法改正と修学支援新制度の影響

今日、大学教育の改革と質の保証が強く求められています。改革を推進するためには

大学の自助努力と経営改善が不可欠です。おりしも、私立学校法が改正され、2020年度から施行されます。学校法人制度改善検討小委員会の報告や一部の私立大学で生じた不祥事を踏まえて、私立大学を設置する学校法人の3つの責務が規定されました。①運営基盤の強化、②教育の質の向上、③運営の透明性の確保です。理事や監事の職務及び責任が明確化され、善管注意義務や損害賠償責任が定められました。中期計画の作成や役員報酬基準の作成公表が義務化され、このほか、情報公開の充実や破綻処理手続きの円滑化の規定も整備されました。

併せて、高等教育の無償化のスローガンの下で高等教育の修学支援新制度が来年度から開始されます。支援措置の対象となる学生等の要件だけでなく、支援対象となる大学の機関要件が細かく定められています。既にある認証評価制度では十分でなく、対象となる大学は、学問追究と実践的教育のバランスが取れた大学とされ、経営に課題のある法人の設置する大学は対象外となります。対象大学の財務・経営情報が公表されます。この結果、外部からの相互評価やランキング評価も可能です。奨学事業を通じた私立大学の誘導と選別の政策が進められることになります。

7. 大学の経営責任者の使命

これからの厳しい時代においては、大学、特に私立大学では教学面と経営面の一層の改善が必要となります。私立大学の学長や理事長らの経営責任者は将来的な重要課題を認識し、課題解決への取組みを積極的にリードする責務があると言えます。大学と学校法人の内部で独自に解決できる課題だけでなく、学外の機関やメンバーと連携協力して課題解決に取り組まなければなりません。地域を支える有為な人材を今後とも供給するために、就実大学としては自前で頑張るとともに、岡山県の高等教育を担っている諸大学と連携して、地域の高等教育の存続と発展の課題に取り組む一翼を担いたいと私は願っています。

岡山大学はなぜＳＤＧｓを推進するか？
大学のあり方

槇野 博史
岡山大学　学長

はじめに

節目の年、令和元年の初日にあたり「岡山大学のありかた」、岡山大学がなぜＳＤＧｓを推進しているのか？　について述べてみたいと思います。

私は学長に就任した２０１７（平成29）年4月に、岡山大学「槇野ビジョン」を示しました。そのキャッチフレーズは学長選考の時に公約した「しなやかに超えていく『実りの学都』へ」です。具体的には、課題に満ちた現代社会において、新しいアイデアの科学的創造と実践的な人づくりで貢献していく岡山大学としました。

岡山大学はこれまで学都構想を推進してきており、千葉喬三元学長は「学都・岡山大学の創成」を、森田潔前学長は「美しい学都」を提唱されてきました。これからなすべきは「学都の実質化」であり、岡山における様々な課題を解決していくことにより「実りの学都」が実現すると私は考えたのです。それを推進するための指針としたのが、国連の掲げるＳＤＧｓ（Sustainable Development Goals）です。ＳＤＧｓの達成に貢献する活動に取組むことを、本学の重要な事業の一つとしました。

ＳＤＧｓとは

ＳＤＧｓは、日本語では「持続可能な開発目標」とされています。私たちが住んでいる「日本」という国は、現在少子高齢化という大きな課題に向き合い、持続可能な国のあり方を本気で考えなければならない状況に置かれています。その一方で、世界の人口は２０５０年には97億人と予測されるように増加し続けており、資源や環境などあらゆる面での持続可能性が著しく脅かされつつあることから、このままでは「地球が２つあっても足りない」という大きな危機感を世界全体が認識しています。ＳＤＧｓは、地球環境と人類社会の持続可能性を追求した国連が主導する取組みです。「誰一人取り残さない」未来のあるべき姿を世界共通の目標として、世界中の人々や組織が連携・協働し、多様な社会課題の解決に、17のゴールと169のターゲットを定めて、これまでに無かった新たな解決方法を創り出していこうというものです。

岡山の恵まれた地理・歴史的背景

では、なぜ、岡山大学はSDGs達成を推進するのでしょうか。それには、様々な理由があります。

本学が設置されている吉備の国は、大和地方に次ぐ大きな古墳群が残るなど古い歴史と文化をもつ地域です。そのことは、第二次世界大戦後、ダグラス・マッカーサーの認可のもと、米国政府による日本研究のフィールドとして岡山の地が選ばれ、1950年に岡山市に米国ミシガン大学日本研究センター岡山分室が開設されたことからも証明できます。

当時岡山が選ばれた理由として、「岡山は日本文明の揺籃地であり、古来より最も知的伝統に富み、地理的条件にも恵まれている」こと、「地元岡山の産学官連携による強固な支援があった」ことと、ミシガン大学日本研究センターの初代所長のロバート・ホールが述べています。

この分室は1955年まで重要な実証研究拠点となり、岡山県新池村（現：岡山市北区新庄上）で農村、高島（現：倉敷市児島塩生）で漁村、馬繋村（現：新見市草間馬繋）で山村研究が行われました。それらの成果は"Two Japanese Village"や"Village Japan"として発刊され、欧米圏からの日本研究に関する初の学術的な人類学的実証研究として古典となっています。

研究協力した岡山大学の谷口澄夫助教授（後岡山大学第６代学長）も「瀬戸内海総合研究会」を設立し、その他の地域でも調査を行い、その後各分野の専門家の協働による農山漁村「総合研究」へと発展していきました。

これらのように、岡山という地は日本の縮図ともいえ、深い歴史と高い文化のある岡山をフィールドとすることで、質の高いＳＤＧｓの達成が実現できると考えるのです。

「社会課題解決」の遺伝子を受け継ぐ岡山大学

この岡山の地には、江戸時代以降、現存する世界最古の庶民の学校である閑谷学校、日本の近代化に貢献した津山洋学、山田方谷による財政再建、石井十次が創設した日本初の孤児院、大原孫三郎による大原奨農会農業研究所や倉敷労働科学研究所の設立など、その時代その時代の社会課題を解決するために、それまでにない社会イノベーションが生み出されてきた歴史があります。これらの歴史の多くは岡山大学の起源に由来し、この

「岡山」という地域には、そして岡山大学には、「社会課題解決の遺伝子」が脈々と受け継がれていると言っても過言ではないと思うのです。

岡山大学の理念・目的はＳＤＧｓ推進に合致

岡山大学の理念は、「高度な知の創成と的確な知の継承を通じて人類社会の発展に貢献する」ことであり、「人類社会の持続的進化のための新たなパラダイム構築」を大学の目的としています。このことからも、本学は、自然と人間の共生に関わる、環境、エネルギー、食料、経済、保健、安全、教育等々の困難な諸課題に対し、既存の知的体系を発展させた新たな発想の展開により問題解決に当たるというＳＤＧｓ達成への活動を牽引すべきと考えるのです。

さらに、本学は、１９９４年に国立大学初の環境の名を冠した環境理工学部を設置し、ＳＤＧｓの目標の多くに挙げられている「環境」分野に先駆的に研究してきた歴史があります。

また、２００７年にＥＳＤ（Education for Sustainable Development）を推進するアジア初のユネスコチェア認定、世界初の７つの「ＥＳＤに関する地域の拠点（ＲＣＥ）」の認定を受けた岡山市との連携による２０１４年の「ＥＳＤに関するユネスコ世界会議」

の開催など先進的な実績があります。これらの実績に対し、２０１６年に「ユネスコ／日本ＥＳＤ賞」受賞、２０１７年12月には「ＳＤＧｓの達成に向けたＲＣＥ第一回世界会議」の開催とともに、「ジャパンＳＤＧｓアワード 特別賞　ＳＤＧｓパートナーシップ賞」を唯一の国立大学として受賞など、国内外から高い評価を得ています。

こうした岡山という地の利、課題解決の歴史、大学理念や目的、実績などからも、本学がＳＤＧｓ達成の推進を取り組むことは、いわば必然であり歴史に導かれているともいえるのです。

岡山県民の支援により設立された岡山大学

本学は、今年創立70周年を迎えました。１８７０年に創設された岡山藩医学館を起源とする岡山医科大学、１８７４年の温知学校、１９００年の旧制第六高等学校、１９１４年設立の大原奨農会農業研究所など、岡山の地にあった優れた伝統と実績を誇った高等教育機関を統合して、１９４９年に新制国立大学として設立されました。

実はその設立背景には、岡山県民の一丸となった誘致運動の歴史がありました。西岡広吉岡山県知事が１９４７年９月に総合大学私案を発表して「岡山総合大学設立準備委員会」が発足し「国立岡山総合大学設立計画書」と「設立請願書」が作成され、設立に要する費用約3億円余は県民の寄付をもって充てることが決定されました。仁科芳雄博士を支部長とする東京支部も設置され、岡山県・岡山市・経済界・関係学校の教職員学生が動きとなってこの気運が県下に拡散しました。合同新聞（現山陽新聞）には「県民一丸！　実現へ、医大・六高などを中心に、まず造る総合大学」という記事も記載されています。

このように岡山大学の原点は、岡山県民の一丸となった総合大学の設立運動にあり、県民にとって、岡山大学はいわば戦後復興と平和のシンボルともなり、岡山の発展への夢が託されたのです。

ＳＤＧｓ推進による実りの学都へ

岡山県民の熱い支援により設立した岡山大学。今こそ、その思いに世代を超えて「恩送り」する時であり、それこそが持続可能な社会への歩みといえるでしょう。

岡山地域は今日、高度成長時代の環境汚染を乗り越えて、山や森の豊かな自然環境が保たれ、里を流れる3大河川には日本最多種の淡水魚が存在し、河川が注ぐ瀬戸内海は日本の臨海でもっとも生物相が豊かな海の一つです。この自然環境は、市民たちが守ってきたものです。また岡山の産業は、質の高いものづくりの中小企業など、日本の縮図といっていい産業構造です。このように、岡山には、ＳＤＧｓ達成のための課題があふれているのです。

岡山大学は11学部８研究科、大学病院等を有する総合大学で、多くの知を集積しています。岡山大学では「ＳＤＧｓの達成に向けた岡山大学の取組事例集―第６版」改訂版―を２０１９年２月に作成しました。これは岡山大学が日常的に取り組んでいる様々な教育研究活動をＳＤＧｓのゴール達成に向けたプロセスモデルとして位置づけ、活動の可視化を行うとともに社会実装に繋げるようにと纏めたもので、２３０例を数えます。

研究を進める上では、①課題を認識する、②問いを立てる、③仮説を考える、④証拠を集める、⑤結果を共有し共に解決する、５つのステップがあります。教育においても、これらの5つのステップを取り入れることで、自律的に実践できる人材が育成され、ＳＴＩ（Science, Technology and Innovation）for ＳＤＧｓの実現に繋がり、実りの学都となると考えるのです。

岡山をフィールドとしたＳＤＧｓの達成に向けた本学の取組は、今後、岡山地域の課題解決を導くことでしょう。また、ＳＤＧｓ教育により課題解決の遺伝子を受け継いだ学生はこの学びが本人の糧となり、将来国内外で活躍することにより、世界規模のＳＤＧｓの達成に繋がると信じています。さらに、ＳＤＧｓに基づいた研究を推進することで、未来の地球課題解決に向かって、新たな知と価値を生み出す取組となると確信しています。

岡山をＳＤＧｓ人材育成の国際拠点に

本学がＳＤＧｓ推進大学であることが評価され、２０１9年より米国国務省「重要言語奨学金（ＣＬＳ）プログラム」の派遣先に国立大学として初めて採択されました。これは米国国務省とアメリカンカウンシルにより選抜された全米トップクラスの大学生・院生26人が8週間にわたって日本語と日本文化を集中的に学ぶ短期留学プログラムです。また、２０１8年より１５７５年に設立されたオランダ王国最古の大学であるライデン大学の日本学科から23名の学生が3か月間留学しており、地域の方々にもご支援いただきながらＥＳＤ／ＳＤＧｓを学んでいます。

70年前に岡山がダグラス・マッカーサーに選ばれたように、いずれも地域のご支援と海山川里の恵まれた岡山をフィールドとしたプログラムで、豊かな資源を活用しながら岡山をＳＤＧｓ人材育成の国際拠点として、さらに全世界にネットワークを構築したいと思っています。

おわりに

これからの岡山大学がＳＤＧｓ推進研究大学として目指すもの

岡山大学は岡山県民の熱意により設立された歴史があります。大学とは、人材育成の拠点であり、課題解決の知の源であり、科学技術の知の府であります。そして、地域とともに発展していくことが不可欠なのです。

本学のＳＤＧｓは、岡山の地域の歴史文化を基盤に「課題解決の遺伝子」を受け継いで、現代の社会課題を、地域や世界の人々と、地域のフィールドで具体的に取り組む中から、持続性（Sustainability）と幸せな人生（Well-being）を追究する新たな社会イノベーションを興そうとするものです。しかし、これは、科学・技術によってのみ得られるものではなく、教育や地域固有の文化芸術にも支えられるものです。なぜなら、ＩｏＴやＡＩなど革新的技術を活用して、人々の生活や社会全体が最適化された未来社会Society 5.0の実現に向かう現代ではありますが、一方で人間であることの価値や、豊かな生き方を抜きには解決はできないと考えるからです。

岡山の歴史文化を受け継ぎ、教育・研究をすすめ、地域とともに社会課題への取組をデザインしていくそのプロセスを、岡山から世界に発信し、また世界で実証することこそ、大学のあるべき姿と考えます。それが、岡山大学が目指す『実りの学都』なのです。

日本再生を考える

松田　英毅
くらしき作陽大学　理事長

明治の頃、岡山県出身で第6代東京帝大総長であった菊池大麓は、西欧の大学を視察し、英国の「真の紳士をつくる教育」に感銘を受け、わが国の大学も学術のみでなく修養教育にも力を入れるべきであるとしたが、時流に流されてしまった。昭和5年、作陽学園を創立した松田藤子は、長年、親鸞聖人の教えを聴きつつ教壇に立っていたが、明治以降一貫した知識中心の教育に対して、教育の目的は、究極は人間形成であるべきであり、知識と事実を教える学校教育に加えて、仏教の真理と智慧を教えることこそ本来の教育であると考え、仏教を中心に人間教育を行うことを目的に学園を創立した。紆余曲折を経て音楽大学へと発展したが、昭和50年代、バブル経済社会の頃に18歳人口の減少が言われはじめ、将来に危機を感じ、学園を県南の交通至便な場所に移転をした。中国、四国、九州の各県出身の学生の多い大学であったので、定員確保は確実であると予想したが、音楽系の落ち込みもあり、それ以上に少子化による18歳人口減少の影響は、まるで大津波のように押し寄せてきた。これに対し、短大改組、２学部増設で対応してきたが、人口減少の津波は止むことを知らないようである。

文科省から示される18歳人口の推移は、１９９２年のピークの後は下がる一方である。それも常に10～20年先の予想値しか見えず、それはわずかな減少であり、人口減少は大問題とはとらえられなかった。全国の市町村でも人口減少は深刻な問題であり、さまざまな対策がなされているが、日本全体の人口減少への対策はとられていない。徐々に温度の上るぬるま湯にいい気分でつかっていた蛙が、気がついたらゆで蛙になっていた譬話があるが、この人口問題は正にそれと同じようである。

１００年、２００年先の日本の人口推計を国立社会保障・人口問題研究所が出している。それによれば、２０１７年には約１億２６５３万人であった人口が、１００

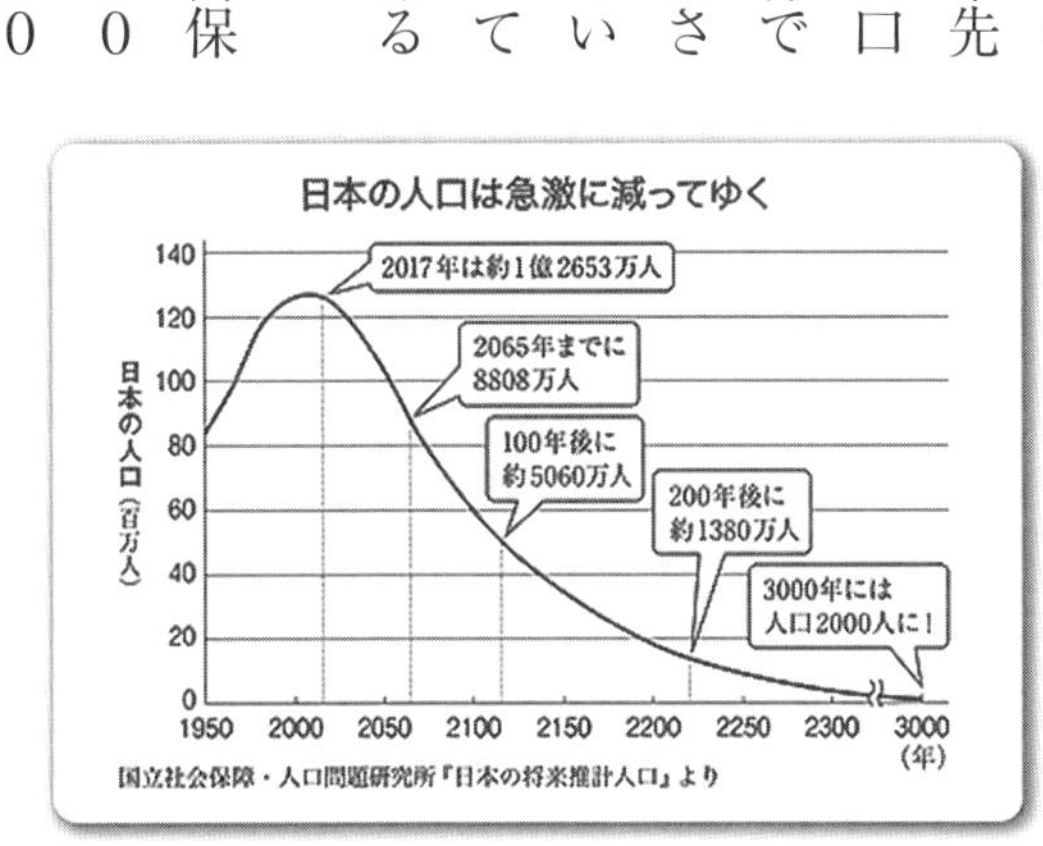

年後には５０６０万人、２００年後には１３８０万人になることを示している。これは、日本は衰退し、ついには消滅の可能性があることをはっきりと示している。

これまで日本の衰退や滅亡を予言した者はいなかったであろうか。昭和45年に作家三島由紀夫がサンケイ新聞に「このまま行ったら〝日本〟はなくなってしまうのではないかという感を日ましに深くする。日本はなくなって、その代わりに、無機的な、からっぽな、ニュートラルな、中間色の、富裕な、抜目がない、或る経済大国が極東の一角に残るであろう」と日本の将来を憂う文を発表している。昭和50年の「文芸春秋」に「日本の自殺」という論文がグループ１９８４年の名で発表された。日本は敗戦後、15年ほどで高度経済成長をなし、アメリカに次ぐ世界第2位の経済大国になったが、社会の諸相は、内部崩壊の相を呈しはじめており、それは、ローマ崩壊時のローマ市民の姿に酷似し、「パンとサーカス」の現代版の状況がうかがわれると、日本消滅を予言している。三島も、グループ１９８４年も鋭い感覚で日本の将来を危惧し警告している。三島は、ノーベル賞候補にもなった作家であり、日本の将来を読む卓越した目を持っていたのであろうが、当時の日本人はそれを無視した。「日本の自殺」は、土光敏夫を驚嘆させ、土光臨調に影響したが、日本を何とかせねばとの社会的な広がりはなかった。しかし、２０１７年の日本の人口推計の数字は、推計とはいえはっきりと将来の日本の衰退を示している。『未来の年表』で河合雅司は、「日本を救う10の処方箋」として、当面の問題の解決策を具体的に提示している。これは、国として早急に取り組まねばならないことである。三島の警告は無視され、「日本の自殺」は、一部の知識人やリーダーを、何とかせねばとの思いにかりたてたが、それは燎原の火のようには広がらずに終った。河合雅司の提言に対する社会的な動きも未だ見られない。日本は、人口減少が続き、消滅する可能性が大であると示されても動こうとしないところに、日本という国の、それを構成する日本人の病理があるといえるであろう。文明の没落は、外からのものでなく、その社会を構成する人間の内部にこそある、とのトインビーのことばが深くうなずかれる。

この人口減少の推移は、明治維新の如き改革の力がなければ、このまま進むであろうと思われる。そうなれば日本の社会は、全てが無に帰する。すぐれた科学技術、便利で快適な社会、世界の人びとを魅了する芸術・文化は無くなり、素晴らしい精神を持つ日本人は滅亡する。人口減少は、日本人の子孫のためにも、将来の世界のためにも絶対に阻止せねばならないと思う。

明治初頭、はじめて日本にきた多くの西欧人が、庶民の生活にふれ、家も調度品も質素であるが、幼児を大事にして、家族中で笑い声がたえない姿を見て、一様に驚いたという。また、大森貝塚を発見したモースは、広島の旅館で財布を部屋に置いたまま数日留守にしてもどると、財布はもとのままあったので、心底驚いたという。誠実で正直で、人にやさしい日本人の姿を見た多くの西洋人は、このような国は世界にはないと異口同音に語っている。

今年4月で平成が終り、5月より令和となった。上皇陛下は、国民の象徴を身をもって示された。東北大震災の折りには7週連続して被災地に足を運ばれ、犠牲者の霊をなぐさめ、復興に励む被災者の痛みをわかちあい、励まし、勇気を与え続けられた。日本各地でおきた災害にも上皇后とともに足を運ばれ、同様の働きをされたのをはじめ、節目には南洋の島々を訪ねられ、深く頭を下げられ、先の戦争の犠牲となった人びとの慰霊をされたのであった。常に社会の安寧、国民の幸せと世界の平和を願っておられたのである。このことは、先の昭和天皇においても同じである。昭和20年8月、本土決戦かポツダム宣言を受け容れるかの御前会議で意見が分れた際に、鈴木貫太郎首相の、思し召しを伺い意見をまとめたいとの申し出に、陛下は、はじめて口を開かれた。それまで開戦に反対だったにもかかわらず、開戦決定の御前会議に一言も異を唱えず「君臨すれども親裁せず」と政治的裁決には口をはさまなかった天皇は、終戦の決断をされたのである。「一人でも多くの日本国民が生き残り、将来ふたたび起ち上って、日本を子孫に伝えるために、たえがたい、しのびかたいことではあるが戦争をやめる。全ての責任は自分がとる」と決断されたのであった。

このような天皇が126代もつづき、今や日本国民の象徴としておられること、元来、日本人は、和と礼と慈悲と正直の心を持つ国民であること、地上のすべての生きとし生けるものは、互いにつながり、助けあって生きており、人間もその中に生かされているとの思想をもっていること。そして、日本は小さな島国であるが、全土が緑に覆われており、周囲を海にかこまれ、自然の幸に恵まれている。このような国、国民は世界にはまれであることを考えるとき、日本は生き残り、再生し、元来の日本人の姿をとりもどし、世界の平和と人類の幸せのために尽力する使命があると思う。

統計上の推計値とはいえ、日本が衰退し滅亡への道をたどる原因はどこにあるのだろうか。幼児から大人まで教育が普及したにもかかわらず、欲望のままに生き、「パンとサーカス」を求め、外見は立派で充実した社会をつくりながら心貧しい国民になりつつあるのは何故であろうか。

明治以降、知識偏重の学校教育の中でも「修身」や「教育勅語」をもって、人間教育を行ってきたが、敗戦後、米国の占領政策により日本が再び米国の脅威となり、または世界の平和および安全の脅威とならないようにするため、武装解除と同時に日本人の精神的解体が行われ、日本の歴史、伝統、愛国心、独立自尊心や宗教心を棄てさせられ、日本人の心の底流にあった偽(うそ)か真(まこと)かの人としての基準は、損か得かに変わり、精神的に骨抜きになった。日本人は、魂を磨く代わりに科学技術と経済の発展に力を注ぎ、70余年戦争のない平和な時代を築き、近代文明の発展と便利で快適な社会をつくり人生を謳歌してきた。しかし、わが国の100年、200年後の姿は全てが衰退し、ついには無に帰するのである。現代日本人が享受している世界に誇る科学、伝統文化・芸術等々すべてがである。日本の衰退から滅亡へのベクトルを変え、再び活気ある日本人としていきいきと生き、社会のため、国のため、さらには世界のために貢献できる「日本再生」を１００年かかろうともやらねばならないのである。それをなしうるのは教育であると思う。現在の文明の発展を止めることはできない。その中でいかなる教育が必要で、また可能であろうか。それは、宗教を含めた人文学であり、極言すれば宗教心であると思う。

　スキューバダイビングが趣味で、時どき南洋のパラオにもぐりに行く人の話を聞いたことがある。20メートルほどもぐると、まるで別世界である。色とりどりの美しい魚群と一体になる。50センチメートルほどの魚が何百、何千匹と集まり巨大な円筒をつくり、円舞する。大きなサメが近づいてきてジロッと目を合わせ過ぎていく。まるで仲間のようである。そこには心からの爽快さがある。大自然と一体となり大きな安らぎを実感するという。そこに天地人生を深く呼吸する教養人の姿がある。

　人間は生き物である。人間から微生物まで地球上のすべての生物（いきもの）は同じ生物（せいぶつ）である。地球上の星の数ほどの生物の個体は、一つの例外もなくいきいきと生きている。生きているというより、大いなるものに生かされているという敬虔な気持ち、それを宗教心という。幼児の頃より大人まで、そのような宗教心を培う教育こそが日本の衰退を救うと思う。

地域の特色に根ざした公立短期大学として

安達　励人
倉敷市立短期大学　学長

本学の概要

倉敷市立短期大学は、勤労学生の学び舎であった倉敷市立倉敷保育専門学院（創立1968年）を嚆矢とします。1974年に短期大学に改組された後、地元産業界の要請により服飾美術学科を設置するとともに、大学改革支援・学位授与機構認定の専攻科（保育臨床専攻・服飾美術専攻）を増設する等、この半世紀の間、地域の発展とともに堅実な成長を遂げてきました。収容定員220名という小規模校の利点を生かした教育と学生支援、大学運営および地域社会との密接な連携によって、卒業（修了）後も自ら学び続ける力をもった保育と服飾美術のプロフェッショナルを養成しています。全国の公立短大の中で、４年制大学卒業に相当する学位を取得できる専攻科を持つものは2校しかなく、教育学と家政学の分野では本学が唯一です。専攻科は、多様なニーズをもった学生の柔軟な学びを可能にすることから、本学の教育課程を特徴づける要素の一つであると考えます。

地域との共生

倉敷市立短期大学の理念は、「地域に密着した高等教育機関として、幅広い教養と創造力・実践力を身につけた人材を育成し、地域の発展に寄与する」ことです。倉敷市は「子育てするなら倉敷で」と言われるまちづくりを進めており、保育・子育て支援が充実したところです。本学キャンパス内には「くらっこ」という愛称で親しまれている子育て広場があり、近隣の保育所や幼稚園、こども園との交流も盛んですので、小さな子どもたちやご家族の姿を学内で日常的にお見かけします。大学を訪れる親子と保育学生とがいっしょに昼食をとる「くらんち」という活動や、地域の親子を招いて開催する「こどもの森」「親子ふれあい広場」等、教育・研究と社会活動とが一体化した取り組みを行っています。また、ここ倉敷市児島地区は、国産ジーンズ発祥の地であり、全国シェアの約7割を占める学生服やワーキングウエア、畳べり、帆布をはじめとする様々な児島ブランドで名高い、日本有数の繊維のまちです。本学では、地元企業から招いた講師による講義と工場見学を組み合わせた授業の開設、地域でのフィールドワークやインターンシップ、人工気候室等の専門施設を使った産学共同研究等、地域と連携した活動を精力的に展開しています。このように、地域の特性にしっかりと根ざした教育・研究が本学の強みであり、地域の魅力を更に高めることが、本学の基本理念の実践にほかなりません。地域活性化や教育の機会均等、行政課題への対応における本学の役割を果たしていく中で、倉敷ならではの創造的で実践的な学びの機会を学生たちに提供しています。

今後の展望

短期大学は、学校教育法において4年制大学とは設置の目的や修業年限が異なる大学として位置づけられており（文部科学省）、戦後の学制改革以降、各地域における準学士レベルの高等教育の普及や職業教育の進展に貢献してきました。特に、在籍学生の約90%を占める女性の能力開発や教育水準の向上、社会参画に大きな役割を果たしてきたと言えます。しかし、4年制大学志向と職業教育志向のはざまで、短期大学の特色が次第に見えにくくなり、今では、短期大学の数はピーク時の半数近くにまで減少しました。その一方で、厳しい状況の中にあっても、志願者の確保と学生教育、キャリア支援とが連動した目覚ましい成果を上げている地方の短期大学もあります。こうした短期大学は、確固たる教育理念のもと、社会の新しいニーズを踏まえた存在意義を、エビデンスを伴ってわかりやすく示すと同時に、高等教育のファーストステージとして多様な学生に対する支援の充実をはかっています。

これからの短期大学が進んでいく方向としては、アメリカのコミュニティ・カレッジとの相違点と共通点を踏まえつつ、いくつかの可能性が示唆されています。そのひとつは、仕事に役立つ実践的な知識や専門的な技能を修得する機能を集中的に高める道です。全国の短期大学卒業生の就職状況を見ると、以前は多数を占めていた事務従事者が全体の約15％にまで減少する一方で、教育や家政、保健等の専門的・技術的職業従事者の割合が大幅に増加していることがわかります。定員充足率の高い学科も、卒業後のキャリアに直結した免許・資格の取得を目的とする学科が目立ちます。短期大学というと花嫁修業の場のように見る向きもかつてはありましたが、それはすでに遠い過去のことです。現在は、男子学生の割合も次第に増えており、今後は、それぞれの短期大学において、社会人基礎力や人間力と呼ばれるジェネリックな能力の育成と一体化した職業教育の充実・高度化がますます進んでいくことが予想されます。

また、短期大学への進学者の中には、卒業後に就職する人たちだけでなく、4年制大学への編入学を目指す人たちもいます。４年制大学に編入学する学生の半数以上は、短期大学の卒業生です。４年制大学志向の高まりを背景に、編入学を希望する学生の割合は上昇しており、キャリア支援の一環として進学支援に力を入れる短期大学も増加する傾向にあります。編入学制度は、卒業後に短期大学での学びを深めるだけでなく、専門分野を変更したり、就業等の期間を経て編入学したりする等、柔軟で多様な進路選択を可能とします。教育機関相互における流動性の高い接続の仕組みづくりの一環として、文部科学省も編入学制度を柔軟化しました。短期大学からの編入学制度の活性化は、高等教育の「セカンドステージ」への接続教育を充実させることにつながるため、短期大学だけでなく日本の高等教育全体にとって有意義であると考えます。

さらに、短期大学には、地域コミュニティの基盤としての教育機能を強化していく役割も期待できます。短期大学は、中小都市を含め全国各地に幅広く分布しており、全体の40％以上が人口30万人未満の市町に立地しています。また、自県からの学生の入学率が４年制大学よりも高く、卒業後の地元定着率も高いという特色があります。少子高齢化で労働力人口が急速に減少していく中、地域社会を支える人材の養成や、地域文化や経済の振興に、短期大学が貢献できることは多いはずです。

同じことは、短期大学への社会人学生の受け入れについても言えます。知識基盤社会では、あらゆる領域で知識や情報、技術の更新が絶えず求められますので、体系的な生涯学習の機能をこれまで以上に充実させることが不可欠です。人が生涯にわたって学び続けることのできる教育プログラムやサポート体制が充実することによって、地域住民の多様で柔軟なキャリア設計の可能性も広がるでしょう。ただし、短期大学の正規課程における25歳以上の学生の割合は10%未満にとどまっていますので、地方でもアクセスがよく修業年限の短い短期大学を社会人の学び直しの場として活用するには、それぞれの地域における社会人の学習ニーズの把握と学習機会の需給状況の分析に基づいて、短期大学が担うことのできる役割を短期大学自身が明確にする必要があります。

高等教育機関における教育・研究や組織運営に関する議論は4年制大学が中心になりがちですが、短期大学のあり方を巡る課題は、日本の高等教育全体に波及するような多くの論点を内包しています。グローバル化や少子高齢化の進行、AIの発達等、社会が急速に変化していく中、それぞれの短期大学は、高等教育のファーストステージとしての新たな使命を模索しています。本学も、倉敷という特色ある地域に密着した教育・研究内容の魅力化と、専攻科を活用した弾力的な教育システムの個性化を進めながら、地域と共生する公立短期大学としての役割を積極的に果たしていきたいと考えます。

大学を学生にとっての挑戦と創造の舞台にするために「環太平洋」を大学名に冠する所以

大橋　節子
環太平洋大学　学長

はじめに本学の大学名の由来についてお話ししたいと思います。

開学当初、多くの人から「岡山にあるのになぜ環太平洋大学なのですか」「グローバル志向の大学なのですか」といった質問をよくいただきました。

「環太平洋大学」という大学名は、本学設立に至る背景、目指す世界と深く関わっています。１９８７年、大橋博（学校法人創志学園・環太平洋大学理事長）の提唱により、環太平洋地域の教育関係者がハワイ・ホノルルに集まり、多様な国の出身者が入り混じる中で学生が育つ新たな国際教育のあり方について議論され、「環太平洋大学構想(International Pacific University 構想)」がまとめられました。

その第1号として、1990年にニュージーランドで初の私立国際大学「インターナショナル・パシフィック・カレッジ（現：国際大学IPU New Zealand）」が開学しました。IPU New Zealand（以下IPUNZ）は、今や世界約20カ国以上から学生・教員が集う多文化共生の大学として成長を遂げ、2020年には開学30周年を迎えます。多文化共生環境の中、各専門領域での学修を終えた卒業生は、卒業生は、さまざまなフィールドで活躍しています。自らの母国で、あるいはグローバルな舞台で、それぞれが大学時代に習得した能力を発揮し、頑張っています。

このIPUNZに続いて新たに日本における「環太平洋大学構想」の要のキャンパスとして、2007年、岡山に開学したのが「環太平洋大学（通称：IPU）」なのです。

「どこにもない大学」を目指して

IPUは、「どこにもない大学」を目指し、「教育と体育の融合」の理念のもと、「教育を創る大学、体育に挑む大学」を掲げ、「次世代教育学部」と「体育学部」の2学部3学科の体制でスタートしました（2016年に「経営学部」を開設し、3学部5学科体制へ）。

とはいえ、志は強く高くとも、日本では歴史もなく、評価の定まらない大学であったことは確かで、第1期生として本学を選ばれた高校生、そして送り出していただいた高校の先生方や保護者の皆様には戸惑いや不安もあったかと思います。それだけに、教育学・体育学の分野において第一線で活躍しておられる教育者や指導者の方々が、新たな理想に共感・賛同して、立ち上げ時から大学創りに参画いただいたことは大変心強く、学生、保護者の皆様にも大きくアピールできるものとなりました。

そして本学の新しい可能性にかけてくれた第1期生３０３名を迎え、開学の日を迎えることができました。私達にとって彼らは可愛い子ども達であり、新しい教育を共に創る同志でした。大橋博理事長と共に、日々キャンパスで、彼らと対話しながら、どんな相談事にも親身に応えていきました。小規模な大学だからこそできたこともあるでしょうが、１対１対応を徹底して行うことは、開学から13年目を迎える今日でも変わらない本学の基本精神であり、教員・スタッフたちの間でも徹底しています。

まずは地域社会に認めていただき、しっかり根付いていくことを大切にしました。学生達と共に手探りでさまざまな取り組みや活動を行いました。大学の柱となる体育会の設立をはじめ、地域の小・中学生を対象としたスポーツサークルや学習サークル活動を通じて、またボランティア活動やキャンパスの地域開放なども積極的に行ってきました。10年を経て、学科教育以外にも、こうした一つひとつの小さな取り組みを結集し、活動を継続することで、今や大きな樹に成長しつつあります。地域社会の皆様、子ども達、青少年達と共に育ち、育てられ、今の大学が形作られています。

　このような取り組みを具体的に主導し、企画・実践しているのは、まぎれもなく学生達自身です。教員は、学生からの求めに応じて適切かつ必要なアドバイスは行いますが、それらの活動は学生達が自律的に運営しています。先輩から後輩へ受け継がれていく「想い」と「ノウハウ」。やらされているのではなく、自分達で自ら考え、仲間と共に創造し挑戦していく。その自信と責任感が学生達の取り組む姿勢そのものを変容させていきます。様々な活動に対して、明るく全力で応える本学の学生達は、地域社会に大きな元気を与えていると思います。

　IPUは「学生が主体」の大学です。そのための環境整備と機会創出、モチベーションアップの支援などが大学の役割と考えています。本学のキャンパスには、世界的建築家である安藤忠雄先生設計による5棟のシンボリックな学舎があります。それら全ても学生自らが主体的に成長していく場としてふさわしい舞台装置となっています。安藤先生が想いを込めて創ってくださった挑戦の建築を舞台に、学生一人ひとりが自らの未来に向かって更に挑戦していく気概と気風が本学には満ち溢れている、そう感じています。


　さて、本学を語る上で欠かせないキーワードをいくつか紹介させていただきます。

「折れない、やめないーIPU」

本学学生・出身者への評価として「明るい」「礼儀正しい」「心が折れない」といったお声を多くいただきます。企業の方などが本学を訪問された時、出会う学生一人ひとりが立ち止まり挨拶する姿に大変驚かれます。これは、開学当初から何よりも礼儀を重んじ、挨拶の習慣を徹底してきたことが本学の校風・伝統として根付いてきたからかと思います。小規模ゆえにできたことかもしれませんが、礼儀、挨拶は人間教育の基礎・基本と考えています。当初は大学に来てまで生活指導を徹底されるのは…と戸惑い、ためらっていた学生の間でも定着し、今では良き伝統として先輩から後輩へと礼儀・挨拶がしっかり受け継がれていることを嬉しく思っています。

本学の体育会では、「礼節・克己・信頼・前進・感謝」を『五訓』として掲げていますが、この『五訓』は、体育会のみならず、全学生の行動指針のようなものになっています。学業はもちろん、さまざまな取り組み、活動に主体的に立ち向かう学生。『五訓』を胸に「折れない、やめない」人間になることを学生が自らに課していることが、人間力を強く育むことにつながっていると考えています。最近では「レジリエンス」「非認知教育」といったキーワードがさまざまなところで掲げられるようになっていますが、本学では開学当初より非認知能力養成のための精神と実践を重視してきたと自負しています。

「2つの国で学ぶ大学」

「環太平洋大学構想」に基づいて設立された本学は、ＩＰＵＮＺとは設立以来、密接な関係を築いています。日常的な交流はもちろん、1年次からＩＰＵＮＺでの1年間の留学を組み込んだ学科やコース、全学部学科生を対象とした短期、中期、長期での留学環境も充実させ、グローバルな資質を養え、鍛える"ONE IPU"としての教育環境は、本学独自のものであると考えています。

「4年後に責任を持つ大学」

本学では、大学広報において「4年後に責任を持つ大学」を打ち出しています。これは私達自身が教育機関としての責任を表明するものであり、学生それぞれが学業・大学生活の目的を自ら掲げる宣誓の言葉である、と位置付けています。

就職については、開学以来、大きな成果をあげ、好実績を続けています。学生達の真摯な取り組みと同時に、大学として教職員がチームで支える「チームＩＰＵ」の体制がそこにあります。その代表的なものが学生有志による「三志会」の取り組みです。教員・保育者を目指す「大志会」、公務員を目指す「立志会」、企業人を目指す「翔志会」があり、各分野で実践経験豊富な教員等がサポーターとして、夢・挑戦・達成に向けて取り組んでいます。教員養成についてはさらに「理科教師塾®」「青年教師塾®」、最近では「道徳教師塾」も開講して独自の取り組みで教育実践力を高めています。

本学では建学の精神に「挑戦と創造の教育」を掲げていますが、これは4年後に責任を持つ大学教育と、4年後に責任を持つ自己教育、その両面において挑戦と創造を厭わず、果敢に取り組んでいく大学の人づくり、学生の自分づくりの大きな指針であり、これからも変わらず継続し、より一層強化していきたいものと考えています。

岡山から日本へ、世界へ、未来へ

「環太平洋大学構想」提唱から33年、国際大学ＩＰＵＮＺ開学から30年、ＩＰＵ開学から13年。設立70周年を迎えられた「岡山県大学人の会」にあって私達はまだまだ若輩です。しかし、若輩だからこそ果敢に挑戦できることがあり、創り出していけるものがあると考えています。

晴れの国・岡山は、教育の国として長い歴史、伝統を持つ地。この地に大学を開学できたこと、そして皆様のご支援ご協力を得られることに深く感謝しながら、今後とも学生達と共に「環太平洋大学構想」の一層の具現化に取り組んでいきたいと考えております。

信頼の教育

河野 伊一郎
倉敷芸術科学大学　学長

岡山県大学人の会創設70周年を迎えました。本会の発足は、戦後新制大学（岡山大学）が創設されたときであると伺っております。私が本会に参加させていただいたのは、昭和50年（１９７５年）岡山大学に土木工学科を新設すべく赴任してきたときであると記憶しており、私の人生の約半分（44年）お世話になり今日に到っております。

私は滋賀県に生まれ育ち、大学人としては、京都大学、デルフト工科大学（オランダ）そして岡山大学、一時期東京（国立高専機構）で仕事をし、再び岡山に帰って現在、倉敷芸術科学大学（学長）として、80歳を超えて岡山県大学人として多くの方々と交流させていただいております。

大学人としての私の財産は、何といっても、一緒に勉学した学生諸君（いわゆる教え子）であります。彼等はそれぞれ立派に成長し、すばらしい仕事をし、社会に貢献してきています。これに優る喜びはありません。彼等には勿論のこと、その間お世話になった先輩、後輩そして同僚の皆様に本誌を借りて御礼を申し上げます。

さて、私が大学教員として本日まで常に意識していた〝思い〟があります。それは「信頼の教育」であります。以下、その思いについて二三、記させていただきたいと思います。

国は人なり、人は国なり

世の中が変わるとき、国の変革期には教育問題が社会の関心事になるといわれている。これは、古今東西を問わずみられる現象だそうである。「国は人なり、人は国なり」ということからすれば、教育はその人をつくる行為であるから、納得できるところである。

近代日本での大変革期といえば、第一には明治維新であり、第二には第二次世界大戦後である。そして今が第三の変革期であるといわれている。あるいは変わらなければならない時期であるということであろう。

明治維新は封建社会から近代社会への大変革であり、教育面では全ての国民が最低限の学校教育を受けられるようになり、教育問題が社会の関心事となったことは当然である。この新しい教育制度は日本の隅々にまで徹底され、日本の国力を急激に増強させた原動力となったことは事実である。また、第二次世界大戦後はＧＨＱの強力な指導のもとに当時の軍国主義から民主主義へ転換したことにより、新しい教育体制へと移行し、能力と意欲があるものは高等教育へ進むことができるという夢を持てる状況が現れた。日本の戦後復興とその後の高度成長はこれらの教育に支えられたことも事実である。

さて、いま複雑な国際情勢とグローバル化等の大変化の中で、第三の変革期となりうるのか。確かに今、教育問題は社会の関心事となっている。新聞をはじめジャーナル等で、教育問題が数多く取り上げられている。日本が順調に高度成長を遂げていた20年、30年前には、教育問題がマスコミに取り上げられることは少なかったことを思えば、いま日本を変革しなければならないと考えている人は多く、したがって教育問題に対する関心が高まっているという見方もできるかもしれない。

いろいろな評価や報道がなされているが、私が特に関心を持つ事柄から一、二を述べてみたい。その一つに、最近のことであるが、日本の子供達の学力低下が取り上げられ都道府県別生徒の学力順位などが報じられ、ランク付けに興味のある人にとっては格好の関心事である。少し短絡的な言い方になるが、以前にそれは「ゆとり教育」のせいであり、このままではいけないので、従前の授業時間数に戻す必要があるとした。こうした議論や検討は勿論必要であるが、教育問題を安易に単純化して結論を導こうとするのは如何なものかと感ずる。私としては、若者達が将来に夢を描き勉学意欲を取り戻し、さらに高めるにはどうすべきかを議論し研究することの方が重要であると考えている。しかし、この課題は、狭い学校教育という範疇の議論ではなくもっと広い視野と問題意識が必要であると思われる。

もう一つ、大学に関しては、少子化（18才人口の減少）に伴って多くの問題をかかえるようになっており、また大学の学術に関する国際的ランクの低下も報じられている。高等教育、特に大学等については、競争原理の導入を中心にもっと企業的センスの導入が必要である云々の議論がある。企業は基本的にはものづくり行為であり、それを通して社会に貢献するのであるが、「よいものを、早く、安く作る」ことに努め、併せて利益を上げることを目指す。一方、教育は人づくり行為である。人に夢と希望を与え、自ら成長するエネルギーを与えることを第一義としている。その成果を短期間で判定し、しかも数値で表すことにはなじみくい仕事である。こうした本質的なところを十分に考慮した対応をしないと進むべき方向を誤らせる危険性が高い。

信頼の教育

私の幼なじみで、小中学校の教員を務めたグループが時々集まって懇談することがあり、それに私も参加している。校長で退職した一人の友人が「ほとほと疲れた、何で疲れたかといえば保護者対応で疲れた」というのである。あるとき子供の保護者が学校へやってきて、「うちの子供は近頃、朝起きてきて、おはよう、の挨拶もしなくなってきた。いったい学校ではどういう教育をしているのか」。笑い話になるようなことが現実に起きており、一事が万事というのである。

上記したように、教育は人づくり行為である。学校教育は勿論のこと、家庭教育、社会における教育もまたそれに劣らず重要である。学校教育はいうまでもなく、「知」を中心とした教育である。家庭教育は「しつけ」、社会教育は「生き方」を中心とする。マスコミなどは学校教育のみを取り上げて、教育が不十分で悪いのは学校のせいであるという論調が強すぎるように思えてならない。学校教育をどうするのかが課題の中心であることに異論はないが、それを論ずるにあたって、もっと広い視野で教育の本質の議論が併せて行われなければならないことを感じている。

私が今最も関心を持ち、問題視していることは「信頼の教育」である。教育の場においては、教える者と学ぶ者がいる。学校教育においては教えるものは教員であり、学ぶ者は生徒、学生である。家庭教育においては、親と子、社会教育においては先輩（上司）と後輩（部下）である。その教える者と学ぶ者の間の信頼の低下が最重要課題の一つであると考えている。

55年前、私が大学の教員になるよう大学から勧められたときに、京都の尊敬する先輩にお話を伺ったことがある。教育者として自分がやってゆけるのか確信が持てなかったからでもある。その折、いろいろお話をしていただいたと思うが、その中で〝教育は人づくりである。教える者と学ぶ者の信頼の上にこそ真の教育は成り立つ・・・〟という話があり、それが忘れられず、そのことを時々思い出し、長い教員生活を送ってきた。幸せな教員人生であったと感謝している。

リベラル・アーツ教育を通じて「真の自由人を育てる」

原田　豊己
ノートルダム清心女子大学　学長

最近よく耳にする言葉に、「私立大学には、建学の精神に則り、地域の資源・課題に応じた教育・研究を行うことが期待されている。」というものがあります。確かに私立大学は、その建学の精神に立ち返ることが必要ですし、その時代にあって建学の精神を生かしてゆく努力をしなければなりません。しかし、大学教育は、ただ地域の課題に限定されるものではなく、この現代社会、全世界に開かれたものでなければならないと考えます。そのため、ＳＤＧｓ（持続可能な開発目標）に対する関心と興味を持たせ、模擬国連をはじめ国際会議に学生を参加させることが大切だと思います。

本学の社会と全世界に開かれた大学という考えは、18世紀に「教育の大切さ」、「教育は万民のもの」との思いを持った一人の女性に始まります。

その女性の名は、聖ジュリー・ビリアートと言い、1751年北フランスで生まれました。聖ジュリーは、教育の機会がわずかの人にしか与えられない状況のもと、自らも正規の学校教育を受ける機会がありませんでしたが、カトリック教会の信仰の中で、豊かな知性と常識を持つ少女に育ってゆきます。時代はフランス革命の動乱期、自身も30年にわたる病床生活を余儀なくされます。ノートルダム修道女会の名で教育事業を始めることを決意するとき、聖ジュリー53歳でした。カトリック教会は、人々の見本となる人物として聖人の位を与えています。

時は流れ、1924年（大正13年）聖ジュリーの志しを継いだ6名のシスターが来日し、岡山の地で女子高等教育を始めます。

アメリカ人シスターたちが「敵国人」として広島県三次で抑留生活を余儀なくされた時代、戦時下にあって1944年（昭和19年）に本学の前身となる岡山清心女子専門学校が開設されます。

偏狭な愛国民族主義、軍国主義の時代、岡山大空襲では、学生14名の尊い命が奪われるなど苦難の時代を経て真の自由人の育成を目指してゆきます。誰からも抑圧や強制、支配されることなく人間が人間であること、知識面における成長だけでなく真理を探求する人格（ペルソナ）の形成を志向する「リベラル・アーツ」教育を行うノートルダム清心女子大学は、戦後1949年（昭和24年）岡山県で最初の4年制女子大学として再出発しました。

現在も岡山県下唯一の女子大学としてリベラル・アーツ教育を実践しています。知性・感情・意思、そして「いのちの大切さ」において自立性を保つ「真の自由人」として社会の発展と平和のために働く力を身につけるため、各自の専門分野にとどまらず、多様な分野の習得を目指します。

本学は、アメリカ人シスターが教育にかかわったことで、当初から英語教育に力を入れています。「英語教育センター」を開設し、全学の学生に「英語の学びなおし」や、さらなる英語力の向上を図っています。ただ単に使える英語教育、語学留学ではなく、建学の精神に裏付けられた世界に開かれた大学となるための異文化理解に通じる英語教育を目指しています。

初代学長シスター・メリー・コスカは、戦時下交換船でアメリカに帰国しましたが、戦後すぐに来日し、講演で次のように話しています。

「わたしたちの大学の目的は、この国のすべての大学に通う女性に与えられた利点を欠くことなく、自由教育を実施していくことです。

私たちの大学は、知性と道徳の面で学生を成長させる機会をつくることに力を入れます。と申しますのは、知性と心は、あなた方の将来の職業といずれ参加することになる社会生活において適切な調和を育成するからです。」

戦争で多くの若者の命が失われ人々が平和を願った時代、高等教育の場でも女性の活躍の場が少なかった時代に、慣習としての良妻賢母型女子教育から自ら考え、判断し、その判断に責任を持つ自立した女性の育成、女性に対する機会均等を指摘しています。さらに、学生が人々に奉仕し、人々と協調して社会に貢献する女性となるように、その人格の陶冶に努めることの重要性を述べています。

本学は、その使命を教育理念に集約しています。

「本学の教育理念をキリスト教精神にもとづいて、真なるもの・善なるもの・美なるものの追求におく。リベラル・アーツ・カレッジとしての性格をもち、教育・研究を通して真の自由人の育成を志し、社会生活を遂行する手段を供するとともに、むしろそれ以上に生きることの意義を共に追求することをもって大学の使命とする。」

1929年（昭和4年）に建築されたノートルダムホール本館、東棟は、建築家アントニン・レーモンドが設計し、2007年7月、国の登録有形文化財に登録され、

研究室、教室、祈りの場の聖堂として使用されています。学生たちは、文化財の中で学生生活を送っています。文化財は、意識しなくてもそのたたずまいから人間の品格を高める役割を果たしています。

大学のあり方

原田 博史
岡山学院大学・岡山短期大学
理事長・学長

私は、岡山学院大学及び岡山短期大学の管理運営に次のように心がけてきました。

第一は、建学の精神を鑑とし管理運営を行ってきたことです。本学のように歴史のある私学は自主性とも言う建学の精神を有しています。本学の建学の精神である教育三綱領「自律創生・信念貫徹・共存共栄」は、私の祖父原田林市が1924年に岡山県生石高等女学校を創立した時の教育理念であります。そして本学は、この建学の精神に共鳴した教職員が集まり、そこに醸し出された学風を慕って学生が集い学んできました。したがって私は創立者の意志である建学の

自律創生
信念貫徹
共存共栄

教育三綱領

精神を継承するとともに教職員、学生、卒業生などと協同して学園を発展させ、高等教育の教育研究を高揚させることを使命とし、建学の精神の共通理解を積極的に図り、学園全体を統一した教育実践の場とすることに努めてまいりました。

第二は、学生の学習成果の質保証です。学生の学習成果は「大学で何を学んで、何を身に付けて、何が出来るようになるか」ということを本学が事前に社会に表明したもので、それを求めて本学に入学した学生が本学の教育課程を修了した時に獲得するものです。そのため本学には「①卒業認定・学位授与の方針、②教育課程編成・実施の方針、③入学者受入れの方針」という三つの方針を一体的に関連付けて定めています。この三つの方針を学生の学習成果を焦点にして自己点検・評価そして改善しながら教育研究を進めることで本学が表明した学生の学習成果を獲得した人材の養成を図ることができます。特に重要な点検は「②教育課程編成・実施の方針」です。教育課程編成・実施の方針とは、本学の人材養成の目的である管理栄養士、幼稚園教諭、保育士の免許や資格を取得するための教育課程の授業科目と担当教員を法に則って編成するとともに学生に対して教育実践を行う方針です。この方針に基づいて学生は授業を受講した後、成績評価の判定を経て学習成果を獲得します。したがって各科目の授業を担当する教員は、科目で獲得する学生の学習成果に関係する教育研究の業績が必要となるのです。学生の学習成果の質保証は授業科目の学習成果と教員の教育研究業績の内容との整合について年度ごとに点検し教育の質保証を図らなければなりません。免許や資格に関わる法律が改訂されそれまでと同じ科目名でも得るべき学生の学習成果が変更されると、担当教員にはそれに関係する教育研究業績が求められるので、その際は教育研究業績を適切に判断した上で適任の教員を担当者として届けることになります。学生は授業料を払って学生の学習成果を獲得することを目的として本学で学んでいますので、このように私は本学の教育の質保証を図るために教授会の適切な意見を参酌して学生の学習成果の質保証を図ってまいりました。

第三は、法令遵守に基づくガバナンスを確保した管理運営を図り、常に自己点検・評価に基づく教育研究内容の充実・向上を図ることです。学生、卒業生は、本学で学習成果を獲得することを目的としています。そのために本学は学生の学習成果の質保証を図るために内部質保証のアセスメントポリシー（査定の方針）を定めて向上・充実を図ってきました。

２０１８年11月26日付で「２０４０年に向けた高等教育のグランドデザイン」が中央教育審議会から答申されました。この中で〝高等教育が目指すべき姿〟の見出しで、『高等教育が「個々人の可能性を最大限に伸長する教育」に転換し、「何を教えたか」から、「何を学び、身に付けることができたのか」への転換が必要となる。「何を学び、身に付けることができたのか」という点に着目し、教育課程の編成においては、学位を与える課程全体としてのカリキュラム全体の構成や、学修者の知的習熟過程等を考慮し、単に個々の教員が教えたい内容ではなく、学修者自らが学んで身に付けたことを社会に対し説明し納得が得られる体系的な内容となるよう構成することが必要となる。』と述べられており、私が叙上した本学の管理運営に心がけてきた第一から第三の事項が【本学の2040年に向けたグランドデザイン】の基本であることを裏付けてくれています。

次に、私がこれまで管理運営の手本にしてきた米国のアクレディテーションについて述べます。

1991年7月の設置基準の大綱化により大学及び短期大学に自己点検・評価が義務化されました。自己点検・評価は、米国の大学の教育の質保証で重要な役割を担うアクレディテーションにおいて大学が行うセルフスタディーのことです。私は、これからの大学の管理運営には、教育の質保証が重要になってくると考え、1992年から米国のアクレディテーションシステムとセルフスタディーを学び本学の管理運営の在り方に取り入れてきました。

米国の大学の教育の質保証は、大学がアクレディテーションという独自の私的仕組みにより自発的かつ継続的にセルフスタディーを実施し、自らの質的水準の維持を図っています。

米国のアクレディテーションには、実に100年以上の歴史があり、大学が、高等教育機関としての使命や適格性を担保した教育の質保証を報告書にしたセルフスタディーレポートを大学の関係者が相互に評価することで、大学の教育内容の充実・向上を図る自主的な活動であり連邦政府の関与はありませんでしたが、近年は、奨学金の支給に関する米国の高等教育法の規定にアクレディテーション委員会または専門分野の認定団体の認定を受けている高等教育機関の学生であることが条件となり、アクレディテーションは連邦政府の制度とも紹介されるようになっています。つまり連邦政府が認めた評価機関の認定を受けた高等教育機関の学生でなければ奨学金給付の申請ができないということになっているのです。

我が国において2004年から法制化された認証評価はこの米国のアクレディテーションシステムがモデルになっており、私は、1994年設立の短期大学基準協会が認証評価機関として認証を受けるための準備委員会に2002年から加わりアクレディテーションシステムを参考にして短期大学評価基準の策定や第三者評価の仕組の構築に携わりました。短期大学基準協会は2005年度から認証評価を開始し、当時は第三者評価そのものの文化のない折ですから、事前に実施した研究交流会ではアクレディテーションシステムを例に挙げてピアレビューについて詳しく説明したことを覚えています。現在は、2014年度から認証評価委員会の委員長として評価校の認証評価および短期大学教育の質保証の向上充実に取り組んでおります。

最後に、高等教育の質保証に関する私の危機意識について述べます。

我が国の学校は、就学前、初等、中等、高等の各段階を踏んでおり、学校教育法第1条にその名称が規定されています。そして、大学は、第9章の第83条から第114条に規定してあり、その中の第108条に大学の目的である「学術の中心として、広く知識を授けるとともに、深く専門の学芸を教授研究し、知的、道徳的及び応用的能力を展開させること」に代えて、「深く専門の学芸を教授研究し、職業又は実際生活に必要な能力を育成すること」を主な目的とする短期大学が規定されています。つまり学校教育法第1条の学校で高等教育は、大学・短期大学と高等専門学校であると法で規定してあるのです。

しかしながら、第2期教育振興基本計画において、専修学校について教育の質の保証と向上のための取組を行うとともに「高等教育における職業実践的な教育に特化した新たな枠組みづくりに向けて、先導的試行などの取組を段階的に進める」として、専修学校の専門課程（以下、専門学校）を文部科学大臣が「職業実践専門課程」として認定する仕組みを2013年8月に創設してから、文部科学省の大学審議会などの大学等に関する審議の過程において専門学校が審議されるようになってきました。

高等教育のグランドデザイン、高等教育段階の無償化、私立学校のガバナンス改革など中期教育審議会の審議において専門学校が見え隠れする中で、大学に課せられる認証評価や定員管理などは、所掌が文部科学省ではなく都道府県であるとの由により除外されており、我が国の高等教育の質保証が損なわれていることに大きな危機を感じております。

専門学校は、学校教育法の第11章「専修学校」において、第124条に「学校教育法第1条に掲げるもの以外の教育施設」として規定され、第125条に『高等学校や中等教育学校を卒業した者等に対して、高等学校における教育の基礎の上に、教育を行うものとする。』と規定され明らかに第1条の高等教育を施す学校とは異なるのです。

現在、2年制の専門学校の卒業生は大学に編入学できることになっていますが、専門学校は短期大学、高等専門学校のように認証評価による教育の質保証が求められていません。つまり、専門学校から編入学した学生の卒業時に得られる学士の学位は、4年間の高等教育の質保証の観点から編入前の2年間の学修の質保証がなされていないことで、学士の学位プログラムとしての学修の時間が不足しているのです。加えて大学院への入学資格においても4年制の専門学校が認証評価の仕組みのない状態で大学院への受験資格が認められていることも同様で大学院入学前の学修の質保証がなされていないことで、修士または博士の学位プログラムも入学前の学修の時間が不足しており、学士も含めて専門学校と大学の接続は我が国の高等教育の質保証の在り方を危機的状況にしていることは否めません。

我が国の高等教育の質保証を担保するためにも専門学校の認証評価を速やかに制度化し、諸外国に対しても国際通用性のある高等教育制度を整備すべきであると考えます。

「岡山理科大学ビジョン２０２６」に基づく大学運営

柳澤　康信
岡山理科大学　学長

４年前にわたしが岡山理科大学の学長に就任したときには、創立者の定めた「建学の理念」はありましたが、それに基づく方針・目標が明確に設定されていない状況でした。そのため、全学として遂行すべき課題の設定や長期的な将来展望ができておらず、大学として進むべき方向性が共有されていないという問題点がありました。そこで就任直後に取り組んだテーマが「明確なビジョンの提示と共有」です。ワーキンググループで数ヶ月かけて原案を作成し、最終的に大学協議会で承認されたものが、以下に示した「岡山理科大学ビジョン２０２６」です。このビジョンは、２０２６年までの10年間で実現したいと考えている本学の将来像を表しています。

ビジョンでも謳っているように、今後の大学運営でもっとも重要な課題は内部質保証システムの構築です。大学基準協会によれば、内部質保証とは「ＰＤＣＡサイクル等の方法を適切に機能させることによって、質の向上を図り、教育・学習その他サービスが一定水準にあることを大学自らの責任で説明・証明していく学内の恒常的・継続的プロセス」と定義されます。この4年間、ビジョンの制定だけでなく、①ビジョンに基づく「アクションプラン（5年の中期目標・中期計画）」の策定とそれを進捗管理するための年度ごとの事業計画の作成、②大学評価委員会、全学と学部における評価・計画委員会など自己点検評価制度の構築、③目標管理型の教員個人評価制度の導入などを行ってきました。これらの施策は、教育研究の質を直接向上させるというよりは内部質保証システム確立のために必要な基盤整備であったと言うことができます。ＰＤＣＡサイクルを本格的に機能させ、質を向上させる具体的な活動はこれからです。

「岡山理科大学ビジョン2026」

岡山理科大学は昭和39年に理学部応用数学科、化学科の単科大学として発足しました。それ以降、産業社会の変遷（工業化社会、情報化社会、知識基盤社会）に呼応して学部学科を改組・新設し、現在では人文科学・社会科学系の学問領域をも包含した中国・四国地区の私立大学で最大の収容定員を擁する理工系総合大学へと発展しています。その根底には、常に時代を先取りし、社会の要請に応えることを旨とする経営方針と、学生と教員とが共に学ぶ学風のもと、創造的で実践的な力を培うことを旨とした教育方針が息づいています。

グローバル化の進展した現代社会においては、どのような社会的事象であっても多くの要因が複雑に絡み合い、地域レベルでも世界レベルでも政治・経済・環境等はダイナミックで予測困難な変化を見せています。このような社会においては、自己を確立すると同時に外的変化に柔軟に対応し、他者との協調・協働に基づき新たな価値を創造する力が強く求められます。本学が理想とするのは、まさにこのような変化に適応できる人材の育成です。本学の教育目標は、自ら考え、行動し、失敗を恐れずに粘り強く取り組むとともに、目的達成のために多様な人と協働できる人材を地域社会・国際社会に輩出することです。

今回のビジョン制定にあたり、本学が「学生の成長に主眼をおく人材育成拠点」となることを宣言します。これを実現するために、学生、教員、職員が共に学び、協調・協働の精神に満ちた大学を目指し、教育を支える質の高い研究の実践、国際化の展開、地域社会との連携を推進します。また、それらを継続的に改革・改善するために、不断に自己点検・評価を行い、教職協働による内部質保証システムを確立します。

そのため、以下の5つの柱を掲げ、大学運営の指針とします。

1. 学生ひとりひとりが成長を実感できる人材育成拠点

本学の学生は、理工系の特色を生かした実践的な教育によって、論理的に考える力や課題解決能力を身につけ、実社会において有為な人材として高い評価を受けてきました。激しい変化が予想されるこれからの社会では、これらの能力に加えて、一歩踏み出す力や果敢なチャレンジ精神が求められます。そのためには、多様な価値観をもつ人から成る集団（コミュニティ）に身を置いてさまざまな人間関係の中で経験を積み、「やればできる」という自信をつけることが大切です。

このような認識を踏まえ、正課教育ではひとりひとりの好奇心や探究心を起点として、未知な問題に主体的に関わる活動によって思考力や創造力を育みます。それに加えて、グループワークやフィールドワークを重視した体験型の学びによって、コミュニケーション能力、協調性、課題発見・解決能力等を高めます。正課外においては、サークル活動などの同世代コミュニティ、地域ボランティア活動などの多世代コミュニティ、海外との相互交流による異文化コミュニティ等を積極的に形成・活用し、学生が自分の心身を鍛え、己の殻を打ち破るような機会を提供します。

入学から卒業までこれらの活動に意欲的に取り組み、生き生きとした学生生活が送れるよう、本学は学生支援（修学支援、生活支援、キャリア支援）を総合的に展開し、教育と学生支援の両輪によって、学生が人間的に大きく成長できる人材育成拠点となることを目指します。

２．教育を支える個性的で魅力ある研究を推進する大学

本学では草創期から、充実した研究設備や機器を備えた環境の中で教員は高いレベルの研究を行い、数多くの優れた研究成果を上げてきました。学生たちは学究的雰囲気の中で教員と一緒に研究を推進し、研究の魅力や面白さを体得し、その経験によって自分の能力や個性を伸ばしてきました。

このような伝統を踏まえて、本学の魅力を深化させる推進力として、独創的な研究や探究心を喚起する研究をさらに活性化させます。そのために、学内外の教員・研究者との共同研究を促進し、国際的な視野に立った先端的・学際的な研究や地域の発展に貢献できる研究を展開します。また、教員の最新の研究成果を学部教育や大学院教育に反映させることによって教育レベルの向上を図ります。さらに、優れた研究課題に対してプロジェクトチームを編成して取り組むとともに、研究の重点化を推進し、本学の魅力や

価値を高め、ブランド力の向上を図ります。

学長のリーダーシップのもとで全学的な研究推進体制を強化し、これらの取組を効果的に行うことで、個性的で魅力ある研究拠点となることを目指します。

3. 世界から人々が集い、国際性豊かな人材を輩出する大学

グローバル化した現代社会では、価値観や資質・能力の異なる人々が協働して課題解決に取り組む姿勢が求められます。そのためには、専門知識・技能の修得のみならず、異なる文化や価値観を持った人々と触れあい、違和感なくコミュニケーションが図れる能力を育成する必要があります。

本学では、「我が国と世界各国との共存共栄を図るためには国際交流が不可欠である」との創立者の強い思いのもと、他大学に先駆けて多くの海外の教育機関と協定を結び、交流を継続してきました。今後、ますますグローバル化が進展する中で、世界で通用する人材を育成するには、交流の質を一段と高めることが重要です。

そのために、本学は①世界から人々が集う国際水準の教育・研究体制の構築、②海外留学、研究発表等による海外派遣の促進、③コミュニケーション力向上や異文化理解のためのキャンパスの国際化に取り組みます。これらの組織的な展開によって、学生の国

際交流の機会を拡充し、諸外国との共存共栄に貢献できる人材を育成します。

４．地域の課題解決や活性化に貢献し、地域と共に発展する大学

大学にとって地域社会との連携や社会貢献は、教育、研究と並ぶ本来的な役割のひとつであり、大学はその知的資源や人材を活用して地域の活性化に貢献する使命を帯びています。一方、地域にとって大学の学生・教職員は、教育研究のために地域をフィールドとする利用者であると同時に、地域の再生や活性化を担う主体者でもあります。

このような認識のもと、本学は地域と共に発展する大学として、地域住民、産業界、行政機関、教育機関、ＮＰＯなどさまざまな地域ステークホルダーと連携を密にし、地域社会や地場産業が抱えている問題に対して、共に考え、協働して取り組み、地域に新しい価値を創出します。また、学生たちは実践的な学びを通して地域コミュニティで自らを鍛え、人間的に成長を遂げるとともに、若者の斬新な発想や果敢な行動力によって地域に活気をもたらします。

今後、本学は他の教育研究機関とも連携しながら地域との繋がりを深め、地域連携ネットワークの中核的な役割を果たし、地域とともに持続的な発展を目指します。

5．明確な方針と的確な組織マネジメントに基づく内部質保証システムの確立

内部質保証とは、自らの責任で自校の諸活動について点検・評価を行い、その結果をもとに改革・改善に努め、これによって、その質を自ら保証することです。そして、内部質保証システムとはこの質保証を継続させていくための方針・体制・手続きなどの仕組みを指します。我が国に大学評価制度が導入されて以来、教育面を中心に内部質保証の重要性が謳われていますが、本学も含めほとんどの大学でまだ「システム」と呼ばれるほど体系的に整備されていないのが現状です。

本学は、自らの責任で質を維持し向上させる自律的な仕組みを構築するために、内部質保証システムの主要な構成要素である①方針と責任体制の明確化、②定期的な点検・評価、③情報の収集と分析、④教職員の能力開発に重点的に取り組みます。それらに基づいて全学、部局（学部・研究科等）、個人それぞれのレベルでＰＤＣＡサイクルを適切に機能させ、相互に有機的に関連づけることによって内部質保証システムの確立を目指します。

岡山県大学人の会のこれまでとこれから

松畑　熙一
岡山大学　名誉教授

1.「大学コンソーシアム岡山」の発足・発展とともに

私が「岡山県大学人の会」に入会して活動してきた約20年間において、県内大学にとって最も大きな出来事は、「大学コンソーシアム岡山」の設立であったと言えるでしょう。岡山経済同友会の絶大なる協力により、設立準備に共に関わった者として、感慨深いものがあります。

本会は、岡山県内の高等教育機関の連帯と相互協力により、持てる知的資源を積極的に活用し、また、地域社会および産業界との緊密な連携推進によって、「時代に合った魅力ある高等教育の創造」と「活力ある人づくり・街づくりへの貢献」を目指し、その実現に取り組む目的で、平成18年4月に設立された連携組織です。

社会の急速な変化に呼応しながら、新しい大学像を求めて叡智を集め、協働してきましたが、その際に、「大学の基本機能」の新たな認識から始めることとしました。

(1) 大学の基本機能

1) 学生が求めているもの」と「大学が育てようとしているもの」のマッチング。
2) 学生は、単に「お客様」ではなく、大学の主体的構成員であり、学生主役の学生主体の大学が目指されねばならない。
3) 大学教育は、入学式とともに始まるものではなく、高校3年生の受験時から始まるものであり、「育成型」の募集広報・学生受け入れが重視されるべきである。
4) 次の「社会人基礎力」(経済産業省)の育成を重視すること。
①「前に踏み出す力」(アクション)— 主体性、働きかけ力、実行力
②「考え抜く力」(シンキング)— 課題発見力、計画力、創造力
③「チームで働く力」(チームワーク)— 発信力、傾聴力、柔軟性、情況把握力、規律性、ストレスコントロール力
5) 「大学知」=「学問知」+「社会知」— 学問知の応用ではなく、両者の融合を基

本にして。

6）大学の使命・機能 ―「教育」と「研究」、そして「地域連携」

「地域連携」 ― 地域と「連携・協働・融合」した大学：地域の中に根づき、地域の課題解決と共に新たな地域創生の役割を積極的に果たす大学

⑵ 学生の主体的学びを進めること

中央教育審議会大学分科会の大学教育部会が、「予測困難な時代において、生涯学び続け、主体的に考える力を育成する大学へ」と題して、大学生にもっと勉強させる教育改革が必要だという審議のまとめを公表しました。

学生の「学力」もさることながら、大学卒業生の「人間力・社会人基礎力」の不足が指摘されて久しい。社会が大きく変容する時代にあっては、受け身の学びを通して注入された知識は役に立たなくなります。必要なのは、どんな環境下でも〝答えのない問題〟に最善解を導くことができる能力、未体験の状況に遭遇したときに、そこに存在する問題を発見し、それを解決する道筋を見定める能力です。

ある調査によれば、今日の大学生の4人に3人までが、「大学でも教室で先生が全部教えてほしい」と望んでいるといいます。

このような受け身の学びでは予測不可能な時代に対応する力は育ちません。必要なのは「主体的に考える力」を育てる、主体的な学びに向かう「主体的な学び」です。審議のまとめが、生涯学び続ける力の育成こそが今日の学士課程教育の課題だと結論づけた理由はここにあるわけです。

2．今後に期待すること

今や「人生１００年時代」に突入していると認識されています。最近出されている予測では、今の10歳の子どもの半数が、１００歳を超えて生きることになります。子どもから高齢者まで、全ての人が「人生１００年時代」を前提として人生設計を立てていく時代となっています。大学においても、「人生１００年」を前提としたキャリア教育やライフデザイン教育が推進されねばなりません。

一方、国連提唱による、２０３０年を目標とした、17領域による「ＳＤＧｓ」実現への努力が、岡山においても産学官の連携に基づいて進行しつつあります。このような時代において、私たち大学人は、どのような基本的な課題認識と具体的な問題解決への努力をすべきでしょうか。

古来から日本人が大切に守り受け継いできた、自然・人間共生の「伝統」から、現代はあまりにもかけ離れた競争・成長路線をひた走り続けています。「人生100年時代のライフデザイン」を各自で確立すべく、ほど良い成長と心豊かな成熟が共存する、「温故知新と新たな価値の創生」という「ルネッサンス」期を迎えようとしています。

「科学技術・物質文明」（成長パラダイム）と「自然・生命中心文明」（成熟パラダイム）との新たな楕円型パラダイム創生を目指すべきでしょう。大自然の摂理に学び、産業資本主義と自然資本主義の融合的楕円化に基づいて、「自然と人間」の共生・融和（ナチュラル・ハーモニー）を重んじ、自然に生かされて生きる「自然人間力」を培う「ナチュラル・ライフスタイル」の構築、経済論理中心の行き過ぎた「資本主義」から、自然の恵みをいただく「農本主義」への転換に努力したいと思います。

今までの自分の生き方と時代的潮流を総括するとともに、学び直し、働き方を考え、「学びを生きる」、すべての人が「人生100年時代」を見通した、自分自身の人生変革（ライフシフト）による新たな「ライフデザイン」の確立を目指したいものです。

岡山県大学人の会　設立70周年を記念して
—岡山県大学人の会のこれまでとこれから—

三浦　孝仁
岡山大学　名誉教授
環太平洋大学　体育学部長

この度は、岡山県大学人の会　設立70周年誠におめでとうございます。

大学人の会は、学問の領域を超えて、大学の垣根を越えて、大学人が集い、意見交換する、大学間の親睦を深め、相互に発展し、地域の興隆に資する全国でも大変まれな学識者の会であります。岡山大学設立とほぼ同時に岡山大学の学識者と私立大学の創設者の方々がはじめられた会であるとお聞きしています。多くの先生方に支えられながら、栄誉あるこの会の一時期を事務局長として10年間勤めさせていただきました。感謝申し上げます。

「岡山県大学人の会」の機関誌である「しおり」の記事によると、岡山県大学人の会は、「大学人としての自由を守るために諸問題を討議し、併せて学外の文化活動に協力するとともに、会員相互の親睦をはかり知識の交換を行う」を目的に、岡山大学の先生方が学長を巻き込んで１９４９（昭和24）年に創設した会であり、その後時代の変化に伴い各大学の理事長・学長等多くの大学人が集う会へと発展したようです。

現在、講演演者に対して寄贈される盾にあるマークは、１９９０（平成２）年に岡山大学名誉教授であった清水國夫先生のデザインであります。

１９９０（平成２）年には、大学人の会の活動状況をまとめた「岡山県大学人の会しおり（その一）」が発行されています。加計学園の加計勉理事長、川崎学園川崎明徳理事長、作陽学園松田英男理事長と岡山大学歴代学長の熱心な取り組みがあったからこそ継続されていると理解しました。

２０００（平成12）年９月３日には設立50年を称え、ホテルグランビア岡山にて、著名人や多くの先生方が集まり50周年記念祝賀会が開催されています。この様子は、「50周年記念のしおり」に残されております。

２００２（平成14）年には、長年事務局を担当されていた岡山大学薬学部中山太二教授のご退官にあたり、同大学教育学部助教授であった私が後任を務めることになりました。中山太二先生は、三浦家の本家のある秋田県天王町二田の三浦醤油店（マルカ）まで訪れ身元確認までする念の入れようでした。そのうえで加計孝太郎理事長、川崎明徳理事長の許可を得て、事務局長に推薦したと聞いています。

例年夏に講演会と懇親会、春に総会と懇親会が行われていましたが、当時は、秋に講演会、総会・懇親会を同時開催し、多くの大学人が集いました。当時の名簿には３００名近い先生方のお名前が記載されていましたから、事務局では大学院生の新納昭洋君、高谷瑠璃子さんにまったくのボランティアとしてお手伝いをいただきました。

申し送り事項として、年に一度の会であり、会長が講師と時期会長を推薦する。会長校は、国公立と私立大学を交互に行う。講師謝金はないが、感謝の盾を贈呈する。といった事をお聞きしていましたので、その都度、会長になる先生方にお伝えさせていただきました。

２００１（平成13）年には、９月11日（火）に理事会・総会が行われ、講演会講師には、石渡世紀先生（日本銀行岡山支店長）をお迎えし、「人生と蓄え」についてご講演をいただきました。

２００２（平成14）年には、当時岡山大学副学長であった青山勲先生が、平成14年度会長としてご就任されておりました。９月６日（金）には17：00―岡山ロイヤルホテルにて理事会・講演会・総会が開催されました。講演会では、「10万円の薬より１００円の納豆」と題して、倉敷芸術科学大学　教授・産業科学技術学部長　須見　洋行　先生によるご講演を拝聴しました。

翌２００３（平成15）年も青山先生が会長を継続され、１月には、巻頭言青山勲先生、祝辞加計孝太郎先生、挨拶中山太二先生による「岡山県大学人の会会報」を創刊しています。この会報は、２００９（平成21）年まで発行し、事務局交代後、ホームページへと引き継がれたと記憶しています。

５月10日（土）には、岡山ロイヤルホテルにて、『岡山県大学人の会市民講座　岡山「学び」ひろば』として、吉備国際大学・学長の窪田登先生による「元気になるための誰でもできる体力づくり」、岡山大学・平野正樹教授による「私たちの暮らしと経済」というタイトルで、一般会員も含めて講演会が開催されました。

９月26日（金）に行われた理事会・後援会は、岡山理科大学にて行われ、「県内経済の現状と課題として、日本銀行岡山支店・坂元友彦支店長様によりご講演をいただいております。

この当時はまだ、川崎学園の川崎明徳理事長、勝村達喜先生、加計学園の加計孝太郎理事長、太田正和先生等、長きに渡り大学人の会を支えてこられた先生方がご出席され、理事の先生方は恒例の２次会を西川沿いの「あじさい」で行われていたことを思い出します。

翌、２００４（平成16）年７月２日（金）には、岡山理科大学・山村泰道学長が平成16年度会長をされ、岡山ロイヤルホテルにて「非営利活動法人経営の課題」として、大原健一郎（財団法人　大原美術館）先生をお招きし会が行われました。

この年の11月21日中山先生が急逝されました。本当に残念で仕方がありません。中山太二先生が心より望み、大きく育てた「学学交流」の火を消すことなく次の世代に伝えることを事務局の使命であると考えましたが、実際にはご退職された先生方も含め、なかなか会員状況を把握できず苦労しました。今更ながら、中山太二先生の会員の動向を把握する手腕には舌を巻く思いです。

２００５（平成17）年7月1日（金）には、岡山大学・松畑熙一副学長が平成17年度会長を務められ、岡山大学50周年記念館にて「まちづくり、地域づくり」と題して、小嶋光信（両備バス株式会社）様がご講演されました。

２００６（平成18）年7月7日（金）には、川崎医科大学・植木宏明学長が、平成18年度会長となり、岡山ロイヤルホテルにて、川崎医科大学・種本和雄教授による「外科医の目で見た英国の医療社会」のご講演をいただいております。

当時、川崎医科大学元学長で、財団法人川崎医学・医療福祉学振興財団理事長でもありました勝村達喜先生より、活動内容を残すためにも冊子「しおり」を作るようご指導を受けておりましたが、なかなか実行に至らず、平成21年（２００９）度会長　岡山大学千葉喬三学長の音頭のもと「しおり」制作準備を進め、加計学園加計孝太郎理事長のご厚意により、株式会社丸善様のご寄付を頂き、ようやく「しおり（その三）」ができたのは２０１０（平成22）年の事でした。

また、勝村先生に関してはこんなエピソードもございます。ご講演をいただいた先生方への謝礼としての記念の盾は、株式会社チヂキで作成されており、少なくとも5個以上をまとめての制作が必要でした。費用にして十数万です。当時の大学人の会は予算が乏しく、理事会でこちらについてご相談したところ、勝村先生が「理事が1万円ずつ寄付すれば、すぐに集まりますね」と発案してくださり、あっという間に費用を捻出でき、事務局一同大変感謝したことを記憶しています。温厚なお人柄で、大学人の会を純粋に愛し、古くから支えてこられたお一人でもありました。

過去の「しおり」には、大学人の会を支えてこられた多くの先生方の思いが記されております。現在の在庫はございませんが、デジタルデータとして事務局が保存しているはずです。

2007（平成19）年7月6日（金）には、岡山理科大学・宮垣嘉也学長が平成19年度会長として、岡山ロイヤルホテルを会場として、岡山理科大学・三好教夫教授の「花粉の話」を拝聴致しました。

この年から、岡山大学に坂入信也先生が赴任され、事務

太田正和教授

加計孝太郎理事長

局のお手伝いとして現在も常に裏方役を買ってでていただき、感謝しております。

２００８（平成20）年７月３日（木）には、吉備国際大学・藤田和弘学長が平成20年度会長となり、岡山ロイヤルホテルにて、山陽新聞社・代表取締役社長であられました越宗孝昌様による「新しい風を―地域でスクラム（産学官＋民連携のつなぎ役として）」をご講演頂きました。

２００９（平成21）年７月３日（金）には、岡山大学・千葉喬三学長が平成21年度会長として、岡山ロイヤルホテルにて、黒住教第六代教主・黒住宗晴先生による「伊勢神宮の式年遷宮」についてご講演頂きました。

２０１０（平成22）年７月２日（金）には、新見公立短期大学・難波正義学長が平成22年度会長となり、アークホテル岡山を会場として、岡山大学・中山睿一教授による「が

藤田和弘学長

越宗孝昌社長

んと免疫」についてご講演をいただきました。

この年は、奇遇にも8月付で現在の事務局長である中山芳一先生が岡山大学に赴任しました。前事務局長中山太二先生のご長男です。早速、事務局をお手伝いいただき、一気にパワーアップしました。中山先生の友人の、小山 壱也君、奥山 勝敏君、藤原崇起君、吉岡 一志君たちが、ボランティアとして協力いただきました。この場を借りてお礼申し上げます。

2011(平成23)年7月20日(土)には、中国学園大学・

千葉喬三理事長

難波正義理事長

松畑熙一学長

有本章学長

中国短期大学の学長となりました松畑煕一先生に、再び平成23年度会長をお引き受けいただきました。常に積極的な松畑学長のアイデアにより、中国学園を会場として、特別講演とパネルディスカッションが行われました。

テーマは「高等教育県岡山　大学のあり方を考える」とし、松畑学長がコーディネーターとなり、3大学の理事長・学長がパネラーとしてご登壇されました。新見公立大学・難波正義理事長・学長、就実学園・千葉喬三理事長、くらしき作陽大学・有本章学長、です。なかなか設定ができない素晴らしい取り組みであったと思います。録音して冊子にすれば良かったと今更ながら後悔しています。

特別講演は、千葉科学大学・藤本一雄教授をお招きし、「東日本大震災から大学が学ぶべき教訓は?」についてご講演をいただきました。その後の懇親会は、ホテルグランヴィア岡山に会場を移して行っています。

多くの先生方が参加

松畑先生とパネラーの先生方

２０１２（平成24）年7月27日（金）には、くらしき作陽大学・有本章学長が、平成24年度会長として、ホテルグランヴィア岡山にて、大学の強みを活かして、格調高く、くらしき作陽大学のV.GRYZNOV/ヴァチェスラフ・グリャズノフ客員教授による音楽演奏会（ピアノリサイタル）を行っていただきました。

２０１３（平成25）年7月26日（金）には、岡山大学・森田　潔学長が、平成25年度会長として岡山大学50周年記念館において、伊東香織倉敷市長をお招きし「大学に期待すること」としてご講演をいただきました。その後、岡山大学・大学会館に移動し、懇親会を開催しています。

私は、思いがけずこの年の9月末で岡山大学を退職することになりました。退職に当たっては、大学人の会の事務局は、岡山大学で担当すべきであろうし、中山太二先生からのバトンタッチでありましたので、中山芳一先生に事務局を依頼しました。大学人の会も若い世代に代わり、また新しい風が吹き込まれると期待しています。

その後、行事は事務局の資料によると次のようになっています。

年月日	会長（大学）	講　師	テーマ	会　場
平成26年7月25日（金）	稲葉　英雄 就実大学学長	市川　康明 （岡山大学）	日本のエネルギー問題を切る！―福島第一原子力発電所事故とエネルギー問題―	就実大学図書館5階ホール、就実大学Ⅴ号館地下ゲストルーム
平成28年2月6日（土）	辻　英明 岡山県立大学理事長・学長	西村　眞 （名古屋大学）	偏差値なんてくそくらえ！―大学教育と企業の採用の在り方を問う―	さん太ホール nobe-nobe
平成30年1月19日（金）	松畑　熙一 中国学園大学学長	小川　仁志 （山口大学）	学びとは何か	ラヴィール岡山
平成31年1月18日（金）	柳澤　康信 岡山理科大学学長	吉武　博通 （筑波大学名誉教授）	大学にふさわしいガバナンスとマネジメントの確立―社会に支持され続ける大学を目指して―	ラヴィール岡山

大学人の会は、他県にはない岡山県独自の会であります。この会を通じて、様々な分野の先生方と、学問に対する考え方、大学人としての在り方などお話しすることができます。また、大学経営者の先生方とも直接お話をする機会を得ることができます。私自身も、２０１７（平成29）年の理事会にて、ＩＰＵ環太平洋大学の大橋博理事長にお声

掛けいただき、再び大学の世界へと戻ることになりました。

大学が淘汰される大変な時代となりました。それぞれが独自性を発揮しながら、高等教育機関のあるべき姿を再考する時代となっています。教育県岡山を取り戻すためにも、大学経営者が知恵を絞り良き関係を築いてきたこの大学人の会のさらなる発展を祈念しております。

まだ後数年は、会員の皆様とお目にかかれる機会があるかと思います。事務局のスタッフ共々、今後ともご指導ご鞭撻の程をよろしくお願い申しあげます。

編集後記

まずは、岡山県大学人の会が設立70周年を迎えられたことにつきまして、感謝の思いでいっぱいです。そして、これまで本会を支えてくださった岡山県内の大学・短期大学を代表される先生方からご執筆を賜り、本誌が完成しましたことを心からうれしく思っております。本当にありがとうございました。

私が、本会の事務局をさせていただくようになってから10年の月日が経とうとしております。前事務局長の三浦孝仁先生、そして前々事務局長の中山太二先生（故人）の背中を追いかけながらの「いま」であることに感慨深く感じている次第です。偉大な事務局長、そして偉大な会長、偉大な理事、偉大な会員の先生方との出逢いは、かけがえのないものとなっております。本会あってこそ得られた出逢いに違いありません。

本誌で先生方が述べられていたように、時代の急速な変化に伴い、大学もまた大きな変革のときを迎えようとしています。その中で、県内の大学同士のつながりのあり方は、高等教育機関としてのあり方そのものであるといっても過言ではないでしょう。このような時代にあって、私たち大学人は改めて『学学交流』のもとにつながっていきたいものです。本会は70年もの年月をかけて、その姿を示し続けてきたのかもしれません。本誌は、まさにこのような本会の軌跡の一冊となったことを確信しております。

本誌の刊行にあたり、ご支援を賜りました株式会社丸善様、タイトなスケジュールにもかかわらず、審らかにご対応くださった吉備人出版に、この場をお借りして厚く御礼申し上げます。

人と人、学問と学問との交流をこれからの未来のために…。本会の発展を心より祈念しております。

事務局長　中山　芳一（岡山大学）

岡山県大学人の会

岡山県大学人の会は、大学人としての自由を守るため、会員相互の親睦を図り、お互いの持つ専門的な知識や見識の交流を深めることを目的として1950年に発足された。主に、岡山県内にある大学・短期大学の関係者たちが加入している。

本誌のタイトルになっている「学学交流」は、本会の目的を一言で表したスローガンであり、本会の会員の中でも親しまれている。

カバーに使った右のマークは、岡山県大学人の会のシンボルマーク。清水國夫岡山大学名誉教授が1990年にデザイン。本会の趣旨から、いくつかのパーツの組合せが多様なイメージを形づくること、そして多角形のパーツたちがきれいな長方形にまとめられることを「タングラム」で表現されている。

学学交流（がくがくこうりゅう）―岡山県大学人の会70周年記念誌

2020年１月15日　初版第１刷発行

編　者―――岡山県大学人の会

発　行―――岡山県大学人の会
事務局：岡山市北区津島中2-1-1　〒700-8530
岡山大学全学教育・学生支援機構　中山研究室

発　売―――吉備人出版
〒700-0823　岡山市北区丸の内２丁目11-22
電話 086-235-3456　ファクス 086-234-3210
振替 01250-9-14467
メール books@kibito.co.jp
ウェブサイト www.kibito.co.jp

印刷所―――株式会社三門印刷所

製本所―――株式会社岡山みどり製本

ISBN978-4-86069-607-8　C0037